ANARCHISME

Normand Baillargeon

Remerciements de l'auteur

Plusieurs personnes ont eu la gentillesse de lire le manuscrit de cet ouvrage et le texte final a grandement bénéficié de leurs commentaires et suggestions. Mes plus sincères remerciements à tous ces lecteurs : Raymond Baillargeon ; Robert Barsky ; Thierry Discepolo ; Francis Dupuis-Déry ; Benoît Foisy ; Charles Jacquier ; Martin Masse ; Jean-François Nadeau ; Chantal Santerre.
Merci également à Michael Albert pour de nombreux et passionnants échanges.

ISBN 2-922369-05-6

LES ÉLÉMENTAIRES - UNE ENCYCLOPÉDIE VIVANTE
L'Île de la tortue, 5505 boul. St-Laurent, bureau 3020 Montréal (Québec) H2T 1S6
Dépôts légaux - Bibliothèque nationale du Québec, Bibliothèque nationale du Canada
1er trimestre 2000
Imprimé au Canada

Table des matières

Être gouverné, c'est être gardé à vue, inspecté, espionné, dirigé, légiféré, réglementé, parqué, endoctriné, prêché, contrôlé, estimé, apprécié, censuré, commandé. C'est, à chaque opération, à chaque transaction, à chaque mouvement, noté, enregistré, recensé, tarifé, timbré, toisé, coté, cotisé, patenté, licencié, autorisé, apostillé, admonesté, empêché, réformé, redressé, corrigé. C'est, sous prétexte d'utilité publique et au nom de l'intérêt général, être mis à contribution, exercé, rançonné, pressuré, monopolisé, concussionné, mystifié, volé.

Pierre-Joseph Proudhon

Le pouvoir est maudit : voilà pourquoi je suis anarchiste.

Louise Michel

Je suis un partisan convaincu de l'égalité économique et sociale, car je sais que, sans cette égalité, la liberté, la justice, la dignité humaine, la moralité et le bien-être des individus aussi bien que la prospérité des nations ne sont que mensonges. Mais comme je suis en même temps un partisan de la liberté, première condition de l'humanité, je crois que l'égalité devrait être établie dans le monde par une organisation spontanée du travail et de la propriété collective, par la libre fédération des communes, mais nullement par l'action suprême et tutélaire de l'État.
Tant qu'il n'y aura pas d'égalité économique et sociale, l'égalité politique sera un mensonge.

Michel Bakounine

Ni Dieu ni maître
Mieux d'être

Jacques Prévert

L'anarchisme est cette tendance, présente dans toute l'histoire de la pensée et de l'agir humains, qui nous incite à vouloir identifier les structures coercitives, autoritaires et hiérarchiques de toutes sortes pour les examiner et mettre à l'épreuve leur légitimité ; lorsqu'il arrive que ces structures ne peuvent se justifier - ce qui est le plus souvent le cas - l'anarchisme nous porte à chercher à les éliminer et à ainsi élargir l'espace de la liberté.

Noam Chomsky

À Jacques Prévert (1900-1977)
qui savait tout cela par cœur...

INTRODUCTION

ffirmez que vous êtes anarchiste et presque immanquablement on vous assimilera à un nihiliste, à un partisan du chaos voire à un terroriste.

Or, il faut bien le dire : rien n'est plus faux que ce contresens, qui résulte de décennies de confusion savamment entretenue autour de l'idée d'anarchisme. Les dictionnaires ne sont d'ailleurs pas en reste et véhiculent largement la même prénotion, le même préjugé.

« Absence de gouvernement ; confusion ou désordre qui en résulte »: voilà ce que serait l'anarchie selon *Le Robert*.

« Absence {an} de gouvernement {archie} et par suite désordre et confusion », assure *Le Littré*, tandis que *Le Larousse* conclut que *« la doctrine anarchiste offre un singulier mélange d'illuminisme désintéressé et de violence aveugle ou brutale »*.

On ne saurait faire pire en si peu de mots. Et la culture savante comme le monde universitaire ne font parfois guère mieux. C'est ainsi que l'épistémologie relativiste et irrationaliste de Paul Feyerabend y a été récemment décrite et discutée comme une théorie anarchiste de la connaissance, ce qui dénote une complète ignorance de l'anarchisme et du rationalisme qui l'a toujours animé.

Mais qu'est-ce donc que l'anarchisme, s'il n'est rien de tout cela?

L'anarchisme se définit étymologiquement comme *an* (privatif) *archos* (pouvoir, commandement ou autorité) ; il est donc, littéralement, l'absence de pouvoir ou d'autorité. Ce qui ne signifie ni confusion ni désordre, si l'on admet simplement qu'il y a d'autres ordres possibles que celui qu'impose une autorité : voilà, exprimé le plus simplement possible, ce qu'affirme d'abord l'anarchisme. Cet ordre en l'absence de pouvoir, les anarchistes pensent qu'il naîtra de la liberté, de la liberté qui est la mère de l'ordre et pas sa fille, comme l'affirmait Pierre-Joseph Proudhon. Pour le dire autrement, l'anarchisme pense que le désordre, après tout, ce peut bien n'être que *« l'ordre moins le pouvoir »*, selon le beau mot de Léo Ferré.

Les anarchistes insistent inlassablement sur cet aspect antiautoritariste de leur théorie. Par exemple, Sébastien Faure : *« Quiconque nie l'autorité et la combat est anarchiste »* ; ou Proudhon : *« Plus d'autorité, ni dans l'Église, ni dans l'État, ni dans la terre, ni dans l'argent. »* On multiplierait aisément les citations... J'ai pour ma part rencontré un jour une vieille dame ayant combattu lors de la Guerre d'Espagne et qui me disait le plus simplement du monde : *« Je suis anarchiste : c'est que je n'aime ni recevoir ni donner des ordres. »*

On le devine : cette idée est impardonnable, cet idéal inadmissible pour tous les pouvoirs. On ne l'a donc ni pardonné ni admis.

En première approximation, on peut donc dire ceci : l'anarchisme est une théorie politique au cœur vibrant de laquelle loge l'idée d'antiautoritarisme, c'est-à-dire le refus conscient et raisonné de toute forme illégitime d'autorité et de pouvoir. La question devient dès lors, bien sûr, de savoir ce qui constitue un pouvoir illégitime. Car il va sans dire qu'il y a certes des pouvoirs et des formes d'autorité qui passent le test de légitimité que les anarchistes sont enclin à leur faire subir. Georges Brassens affirmait ainsi : « *Je suis tellement anarchiste que je fais un détour pour passer au passage clouté!* »

Quels sont donc ces pouvoirs et ces formes d'autorité légitimes? Pourquoi le sont-elles? Il n'y a pas de réponse simple ou définitive à ces questions, d'autant moins que l'anarchisme soutient aussi que les avancées de la liberté conduisent bien souvent à rétrécir le champ des formes de pouvoir légitimes et donc à refuser d'accorder aujourd'hui une légitimité à ce qui était hier encore perçu comme justifiable.

Tirant les conséquences aussi bien théoriques que pratiques de cet antiautoritarisme, l'anarchisme est encore un amour passionné de la liberté et de l'égalité qui débouche sur la profonde conviction - je devrais plutôt dire sur l'espoir - que des relations librement consenties sont plus conformes à notre nature, qu'elles sont, en définitive, seules aptes à assurer une organisation harmonieuse de la société et qu'elles constituent donc, en dernière analyse, le moyen le plus adéquat permettant de satisfaire ce que Kropotkine appelait « *l'infinie variété des besoins et des aspirations d'un être civilisé.* »

L'anarchisme affirme parfois tout cela dans un climat passionnel au sein duquel la révolte occupe une place considérable. Cette révolte, dirigée contre toutes les formes illégitimes d'autorité (*Ni Dieu, ni maître!*), porte, de manière prépondérante mais non exclusive, sur l'État, qui est tenu pour une forme supérieure et particulièrement puissante et néfaste de l'autorité illégitime.

Selon le point de vue qu'on privilégie, on pourra dire que cette théorie est ou très ancienne ou plutôt récente.

Très ancienne, elle le serait dans la mesure où certaines des composantes de l'anarchisme sont repérables, avec une remarquable constance, chez des auteurs et des mouvements sociaux et politiques très éloignés de nous, à la fois dans le temps et dans l'espace. C'est d'ailleurs pour des raisons de cet ordre que certains anarchistes soutiennent, un peu hasardeusement peut-être, que si l'anarchisme est une constante de l'histoire humaine, c'est précisément qu'il met en jeu des données appartenant de manière fondamentale et essentielle à notre « nature ». Quoi qu'il en soit, les sociétés sans État que décrit l'anthropologie contemporaine, mais aussi les Esséniens, les Anabaptistes et des personnalités aussi diverses que Lao-Tseu, Diogène, Zénon, Spartacus, Étienne de La Boétie, Thomas Munzer, François Rabelais, Gerrard Winstanley, Denis Diderot ou Jonathan Swift figurent au nombre des précurseurs que les anarchistes reconnaissent le plus volontiers. Et il est vrai, pour ne m'en tenir qu'à cet exemple, que Diogène, ce cynique de l'Antiquité grecque, porteur d'un idéal de fraternité et de rationalisme, habitant dans son tonneau et répondant au puissant conquérant Alexandre Le Grand qui lui offrait absolument tout ce qu'il pouvait désirer : *« Ôte-toi de mon soleil »*, que ce Diogène là, donc, apparaît bien comme un lointain semblable à plus d'un anarchiste.

Mais l'anarchisme est aussi une donnée bien plus récente de l'histoire et, cette fois, dans la mesure où sa formulation explicite et conséquente n'advient qu'avec la Révolution Française - le mot anarchisme lui-même n'apparaissant pour la première fois que chez Pierre-Joseph Proudhon, au XIXe siècle.

Partant de là, plusieurs auteurs, plusieurs traditions et bien des événements ponctuent l'histoire de l'anarchisme. C'est précisément de cela qu'il sera question dans le présent ouvrage.

Drapeau noir et A encerclé

Le drapeau noir et le A encerclé sont aujourd'hui deux symboles universellement connus de l'anarchisme. Mais leur origine demeure nébuleuse.

Une des premières apparitions du drapeau noir semble remonter à la Commune de Paris, alors que Louise Michel le brandit à la tête d'une manifestation. Ce symbole est bientôt connu comme celui des anarchistes : dès le début des années 1880, comme le rappelle Jason Wehling, plusieurs organisations anarchistes l'ont adopté dans l'intitulé de leur journal (*Le Drapeau Noir*, 1881) ou de leur organisation (*Black Flag International*, 1882).

Le drapeau noir apparaît ensuite régulièrement dans les manifestations anarchistes et il est présent à chacune des grandes dates de l'histoire du mouvement : on agite le drapeau noir à Chicago dès 1884 ; c'est sous sa bannière que se battent les maknovistes en Ukraine ; c'est en le portant que des milliers d'anarchistes participent aux funérailles de Kropotkine, le 13 février 1921, date qui marque la fin de l'anarchisme dans la Russie soviétique.

On lui a attribué diverses significations. Symbole de la faim, de la misère ou de la révolte des ouvriers pour les uns, symbole du sang (séché) que versera la propagande par le fait pour d'autres, le drapeau noir peut aussi avoir été un rappel de la piraterie, de ces rebelles sans patrie qui annonçaient par leur drapeau qu'ils étaient déterminés à en découdre jusqu'à la mort avec leurs ennemis.

Howard Ehrlich, après avoir rappelé ces diverses significations possibles, y voit pour sa part un symbole de négation, de colère, d'outrage, de beauté et d'espoir que les anarchistes sont fiers de porter bien qu'ils s'en désolent, attendant le jour où ce symbole sera devenu inutile. Mais on peut également y lire la négation de toutes les couleurs de tous les autres drapeaux...

Notons enfin que les anarchistes utilisèrent aussi un drapeau rouge et noir.

Quant au A encerclé, il est bien plus récent et sa première apparition semble remonter à la Guerre d'Espagne. Une hypothèse plausible veut que ce A inscrit dans un O soit un rappel de la sentence de Proudhon : « *L'Anarchie, c'est l'Ordre* ».

Genèse et survol

A - Racines

Pour certains théoriciens, l'anarchisme est une tendance permanente de l'histoire de l'humanité, inscrite en quelque sorte dans la nature humaine. Kropotkine, un des plus importants théoriciens de l'anarchisme, est de ceux-là. En 1910, dans un célèbre article de présentation de l'anarchisme paru dans l'*Encyclopædia Britannica*, il avance ainsi que dans toute l'histoire de l'humanité on pourra constater une opposition entre une tendance anarchiste d'une part et une tendance hiérarchique de l'autre.

Même en admettant cette hypothèse d'un anarchisme « éternel », si on peut dire, il reste à tenter de comprendre l'apparition de l'anarchisme « historique », celui qui surgit dans la deuxième moitié du XIXe siècle. Comment en expliquer l'avènement? Quelles influences ont joué pour que l'anarchisme apparaisse alors et dans les formes nombreuses et variées qu'il prit à partir de là?

Il n'est pas facile de répondre à ces questions. D'autant moins que l'anarchisme est un courant d'idées riches et variées et qu'en retraçant son histoire on est amené à évoquer les principaux mouvements de lutte sociale et politique des deux derniers siècles et à référer à la plupart des grands courants d'idées qui ont marqué l'Europe - puis le reste du monde - au cours de cette même période. L'anarchisme a emprunté à bon nombre de ces courants et s'est nourri de la plupart de ces mouvements. On ne s'étonnera dès lors pas qu'ait été proposée une multitude de généalogies de l'anarchisme. Avant d'aborder la question des sources de l'anarchisme historique, rappelons d'abord ses principales tendances - lesquelles sont parfois très éloignées les unes des autres voire, en certains cas et du moins sur certains plans, opposées entre elles.

Dès le XIXe siècle, on distingue couramment anarchisme individualiste d'une part et anarchisme social de l'autre.

Le premier courant, celui de l'anarchisme individualiste, a d'abord été présenté et défendu par Max Stirner. Si l'on excepte les États-Unis, où cette orientation a eu une riche et nombreuse descendance, cette variante n'a pas eu l'importance historique de l'anarchisme social. Il faut néanmoins dire, en toute justice, que sa contribution à cet archipel d'idées qu'est l'anarchisme a été significative.

L'anarchisme social regroupe la plupart des anarchistes mais, ici, il faut encore distinguer entre collectivistes, fédéralistes, communistes et syndicaliste : ces nuances apparaissent sur la question des moyens permettant d'atteindre l'idéal souhaité mais aussi sur la définition de cet idéal lui-même. Je reviendrai longuement dans cet ouvrage sur tous ces distinguos.

Le XXe siècle verra l'anarchisme s'enrichir de nouvelles tendances et apparaître de nouvelles directions, comme autant de perspectives et de points de vue, de thèmes ou d'inflexions de la pensée ou de l'action sur lesquels l'accent est susceptible d'être mis. Rappelons-en les principaux.

Avec Léon Tolstoï apparaît un anarchisme religieux, à première vue fort étonnant si l'on considère qu'en général l'anarchisme est volontiers athée ou à tout le moins agnostique et que l'anarchisme, celui de Bakounine en particulier, est un des sytèmes de pensée les plus radicalement anticléricaux que l'humanité ait connu.

Un anarchisme pacifiste existe également, qui a lui aussi souvent puisé son inspiration chez Tolstoï. Défendu magistralement par Domela Nieuwenhuis pendant la Première Guerre mondiale, cet anarcho-pacifisme a eu quelques descendants.

L'anarcha-féminisme, d'abord avancé et défendu notamment par Emma Goldman, prendra progressivement de plus en plus d'importance tout au long du XXe siècle et particulièrement de nos jours.

L'anarcho-syndicalisme a été un mouvement important et fécond et l'anarchisme écologique, dont Murray Bookchin est aujourd'hui le représentant le plus connu, occupe à présent une place prépondérante.

Ajoutons enfin, pour conclure ce rapide tour d'horizon, qu'une âpre querelle se déroule aujourd'hui entre tous ceux qui se réclament des courants que nous venons d'évoquer et les récents anarcho-capitalistes - qui, selon les premiers, se réclament à tort de l'anarchisme et en particulier de l'anarchisme individualiste.

On ne s'étonnera donc pas que les sources de l'anarchisme soient aussi nombreuses et variées que le mouvement lui-même et que de nombreuses généalogies concurrentes aient pu en être proposées. Parmi de nombreuses relectures historiques, je retiendrai ici celles d'Henri Arvon et de Noam Chomsky, qui me semblent particulièrement éclairantes.

Arvon expose la position la plus courante en situant l'anarchisme dans le prolongement de la Révolution française, c'est-à-dire d'un mouvement révolutionnaire de masse. Perspective séduisante par ceci que toute l'histoire de l'anarchisme sera effectivement ponctuée par de tels mouvements, qui en sont à bien des égards à la fois le moteur et la source d'inspiration. Mais cette référence à la Révolution française renvoie surtout à un certain état de civilisation de la formulation des problèmes sociaux et politiques. Pour le dire le plus simplement possible, l'argumentaire est ici le suivant : la Révolution française porte à son terme un mouvement de la modernité amorcé de longue date en Occident (disons depuis la Renaissance) et qui cherche à problématiser les conditions de la légitimité de l'État et, plus généralement, du pouvoir politique. Ce mouvement, que ponctuent diverses théories (théorie du contrat social, du droit naturel, du droit divin, etc.) s'accompagne en outre - et ceci est crucial - d'une progressive autonomisation et valorisation de l'individu. Au total, on argue ici que la Révolution française permet de mettre à jour, de manière exemplaire et emblématique, la contradiction entre l'État d'une part, prônant abstraitement la liberté, l'égalité, la fraternité et, d'autre part, la société, que l'État prétend d'ailleurs faussement servir, et qui se caractérise par l'inégalité (entre autres économique), la servitude des uns mise au service des autres, la lutte des uns contre tous les autres.

Que signifie l'anarchisme dans ce contexte? Il est une réaction antiautoritariste et antiétatiste qui supprime la contradiction entre État et société en niant radicalement l'un des deux termes : l'État. L'anarchisme imagine donc une société sans État, une réunion libre d'êtres libres, égaux et fraternels. Né de la prise de conscience de la contradiction entre État et société que met à jour de manière exemplaire la Révolution française, l'anarchisme serait donc, dans sa dimension négative, la volonté de supprimer l'État et, dans sa dimension positive, la volonté de reconstruire une société libre, égalitaire et fraternelle.

À l'appui de cette thèse, on peut rappeler les exigences de démocratie directe, de liberté et d'égalité réelles qui ont, de fait, été explicitement formulées au cours de la Révolution française. C'est le cas notamment de la *Conspiration des Égaux*, à laquelle le nom de Gracchus Babeuf (1760-1797) reste attaché « *Disparaissez révoltantes distinctions de riches et de pauvres, de grands et de petits, de maîtres, de gouvernants et de gouvernés* »; mais aussi, et plus encore peut-être, dans ce mouvement des *Enragés* dont Jacques Roux reste la figure la mieux connue et que le Directoire appela justement « anarchistes ». « *Le despotisme du Sénat est aussi terrible que le sceptre des rois,* écrivait Roux : *il enchaîne les gens à leur insu, les brutalise et les subjugue par des lois qu'ils sont censés avoir conçues* ».

Cette reconstruction historique est commode, mais elle me paraît aussi occulter une part substantielle de ce qui donne à l'anarchisme certains traits de caractère qui lui sont propres. Pour la compléter, on peut se tourner vers Noam Chomsky, qui propose pour sa part une autre généalogie de l'anarchisme, non sans mérites.

Selon Chomsky, le principe anarchiste trouve un de ses éléments essentiels et une de ses formes les plus significatives en Bakounine, plus précisément dans l'exaltation par ce dernier de la liberté définie comme condition essentielle du déploiement et du développement « *de l'intelligence, de la dignité et du bonheur humains* ». L'anarchisme développe un concept de liberté qui s'oppose à la liberté consentie et mesurée par l'État ; il invite à concevoir une définition beaucoup plus large et infiniment plus riche de la liberté. Cette dernière n'est pas enfermée dans un cadre fixe et clos, elle ne se réduit pas à la seule liberté négative qui consisterait à n'être pas entravé, mais elle est appelée à s'élargir infiniment alors que des structures oppressives sont découvertes là où hier encore on ne pouvait les percevoir : l'anarchisme est donc aussi cette exigence de lutter contre ces nouvelles limites à la liberté, sans cesse mises à jour. Telle est l'idée que Chomsky exprime dans la phrase placée en exergue de cet ouvrage. Mais il y a plus. C'est que selon lui, ces idées sont également à rattacher au rationalisme du XVIIe, à Descartes notamment, dont, on le verra, il s'inspire dans sa rénovation de la linguistique. Chomsky avance encore, de manière très convaincante, que ces idées sont celles du Siècle des Lumières, où on les retrouve notamment exprimées par Jean-Jacques Rousseau (1712-1778) dans le *Discours sur l'origine de l'inégalité parmi les hommes* et par Wilhem von Humboldt (1767-1835) dans *Les Limites de l'action d'État*. Le concept de liberté qui émerge au cours de ce siècle est celui qu'Emmanuel Kant (1724-1804) précise en rappelant que la liberté est « *la précondition à l'acquisition de la maturité nécessaire à l'exercice de la liberté et non un don qu'on ne reçoit qu'une fois cette maturité acquise* ». Chomsky lie enfin l'anarchisme, de manière originale et fort éclairante, aux idées du libéralisme du XVIIIe siècle, « *au libéralisme originel,* précise-t-il, *celui qui sera brisé par le capitalisme industriel et auquel sera substituée la reconstruction idéologique en circulation de nos jours* ». L'anarchisme ressort ainsi de cette opposition des libéraux à l'État et à l'Église qui conduit progressivement à l'idéal socialiste puis, en se radicalisant, à l'idéal anarchiste, au socialisme libertaire prônant tout à la fois la liberté et l'égalité. Et ici, nous retrouvons Bakounine : « *La liberté sans le socialisme conduit à des privilèges et à l'injustice ; le socialisme sans la liberté conduit à l'esclavage et à la brutalité* ».

Ces deux hypothèses omettent cependant une dernière source des positions anarchistes, laquelle jouera un certain rôle dans l'apparition de ces idées, mais plus encore dans la forme qu'elles prendront dans la seconde moitié du XIXe siècle. Cette dernière source est la philosophie de Georg Wilhelm Friedrich Hegel (1770-1831).

Ce philosophe allemand a construit un ambitieux (à mon avis verbeux et obscurantiste) système qui aboutit à une synthèse, nommée idéalisme philosophique, où figurent en bonne place le christianisme, la monarchie et la culture bourgeoise. À la mort de Hegel, certains de ses disciples dissidents, les hégéliens dits « de gauche », entreprennent de démanteler cette synthèse et d'attaquer chacune de ses parties : là où Hegel décrivait la progressive découverte de la transcendance de l'Esprit, ses jeunes disciples posent l'immanence de l'esprit humain prenant peu à peu conscience de soi. Avec Ludwig Feuerbach (1804-1872) la religion n'est plus que *« la relation de l'homme à lui-même »* et à la théologie se substitue l'anthropologie. L'anarchisme individualisme de Stirner naîtra de la radicalisation de ce point de vue, qui n'admet plus d'autre horizon que le Moi, l'Unique. Par ailleurs, comme nous le verrons, Bakounine, et partant de là une part importante de l'anarchisme social, sera également influencé par l'hégélianisme. Notons enfin l'idée de dialectique, c'est-à-dire, pour reprendre la définition que Hegel donne dans sa *Logique*, *« le mouvement rationnel supérieur, à la faveur duquel ces termes en apparence séparés passent les uns dans les autres, spontanément, en vertu même de ce qu'ils sont, l'hypothèse de leur séparation se trouvant ainsi éliminée »* : la dialectique est à la fois le mouvement du réel et celui de la pensée le saisissant, l'un et l'autre s'identifiant dans le système idéaliste de Hegel. On présente souvent commodément cette dialectique comme une triade dont les trois moments sont : affirmation ; négation ; négation de la négation ou nouvelle affirmation, destinée à être à son tour niée, et ainsi de suite.

Pour conclure cette entrée en matière je rappellerai une anecdote célèbre. En novembre 1889, à Barcelone, un débat brûlant oppose anarchistes communistes et anarchistes collectivistes sur les mérites de leurs positions respectives. Fernando Tarrida del Marmol, un exilé cubain, y met un terme en appelant à la tolérance. Une fois entendu que le but premier de tous les anarchismes est toujours l'abolition du capitalisme et de l'État et la libre expérimentation en vue d'établir une société libre, affirmait-il, il convient de faire preuve de ce qu'on pourrait appeler de la tolérance théorique sur des divergences de points de vue d'importance secondaire. Marmol concluait en utilisant l'expression : « anarchisme sans qualificatif », qui est désormais célèbre. On peut exprimer plus simplement la même idée en disant que l'anarchisme, et c'est tant mieux, n'est pas une appellation d'origine contrôlée, qu'il n'existe aucun droit de propriété sur ce concept et qu'il reste une théorie ouverte et appelée à se transformer encore. Je soutiendrais volontiers que l'anarchisme n'est vivant et digne d'intérêt qu'à la condition de respecter cette ouverture et de permettre ces transformations.

B - Anarchistes et anarchismes

William Godwin (1756-1836) et le rationalisme

On a proposé bien des précurseurs à l'anarchisme. En plus de tous ceux que nous avons évoqués plus haut, une place à part doit être faite à Gerard Winstanley qui expose dans *The Law of Freedom* (1652) plusieurs idées proches de celles qu'avanceront plus tard les anarchistes.

Mais il est couramment admis que c'est avec William Godwin que l'anarchisme trouve sa première formulation dans *Enquiry Concerning Political Justice*, paru en 1793. Le poète Percy B. Shelley épousera Mary, la fille que Godwin eut avec Mary Wollstonecraft, militante féministe de la première heure et contribuera énormément à la diffusion des idées anarchistes. (Mary Shelley est l'auteure du célèbre roman *Frankenstein*).

Convaincu à la fois d'un absolu déterminisme et de la perfectibilité humaine, Godwin est un rationaliste - *Man is a rational Being* - pour qui *« la raison est le seul législateur et ses décrets sont irrévocables et uniformes. »*

L'être humain étant façonné par son environnement, l'éducation et, plus généralement, toutes les forces de la persuasion rationnelle, occupent une grande place dans la réflexion de Godwin, qui pense qu'elles permettront de conduire à une société juste. On l'atteindra en transformant cet environnement pour éliminer les facteurs qui s'opposent au plein exercice de la raison soit, le type de gouvernement ; l'éducation ; les préjugés de l'ordre social et ceux de la religion.

Godwin mérite amplement la place qui lui est faite dans l'histoire de l'anarchisme pour au moins trois raisons.

On retrouve d'abord chez lui un antiautoritarisme conséquent, trait qui est manifeste dans son refus d'accepter, sans les passer d'abord au crible de la raison, les décrets de la tradition, de la sensation, du sentiment et de l'habitude.

On y trouve aussi, par le rationalisme qu'il défend, une caractéristique majeure de l'anarchisme.

Enfin, Godwin aboutit à une position antiétatique et propose une formulation de l'antinomie entre État et société. *« La Société est née de nos besoins, l'État de nos méchancetés. La Société est un bien, l'État, au plus un mal nécessaire. »*

L'anarchisme de Godwin ouvre ainsi la voie à l'anarchisme social que développeront notamment Bakounine et Kropotkine. Mais avant d'en arriver là, la position anarchiste aura subi une profonde inflexion aux mains d'un philosophe allemand.

Max Striner (1806-1856)
Égoïsme et associationnisme

Max Stirner est le pseudonyme de Johann Kaspar Schmidt. Né en 1806 à Bayreuth, en Bavière, Schmidt étudie la philosophie à l'Université de Berlin, de 1826 à 1828, où il reçoit l'influence déterminante de Hegel. En 1832, il entreprend un certificat d'enseignement qui lui vaut, après quelques années difficiles, d'obtenir un poste de professeur dans une pension de jeunes filles à Berlin. C'est cette situation « respectable » qui explique que le professeur Schmidt choisit bientôt le pseudonyme de Max Stirner pour signer ses écrits, qui sont d'ailleurs en fort petit nombre. Si l'on excepte quelques articles parus dans *Rheinische Zeitung* (*La Gazette Rhénane*) alors dirigée par Karl Marx et quelques autres travaux mineurs, Max Stirner est l'homme d'un seul livre, *Der Einzige und sein Eigentum* (*L'Unique et sa propriété*) paru en 1845. Il s'agit d'une œuvre puissante, radicale et profondément originale. L'ouvrage est rédigé alors que Stirner participe au cercle des *Frein* (*Les Affranchis*), assemblée d'hégéliens de gauche où se retrouvent, entre autres, Karl Marx et Friedrich Engels. Ceux-ci consacreront de longs passages de leur *Idéologie allemande* à la critique des idées avancées dans *L'Unique...* où ils ne voient essentiellement et injustement qu'un point de vue idéaliste, celui d'un petit-bourgeois resté au stade de la spéculation vide et purement théorique, résistant à faire l'expérience de la pratique.

Stirner meurt en 1856, dans une complète obscurité d'où le poète et romancier allemand John Henry Mackay devait le tirer, en 1898, en faisant paraître *Max Stirner, sein Leben und sein Werk* (*Max Stirner, sa vie et son œuvre*) qui est la première étude exhaustive consacrée au philosophe. *L'Unique...* deviendra alors le bréviaire des anarchistes individualistes et aura constamment des lecteurs, peu nombreux sans doute, mais toujours enthousiastes.

Stirner pose que le Moi est Unique, irréductible aux réalités et aux catégories dans lesquelles on cherche à l'enfermer et qu'il peut considérer tout le reste comme étant sa propriété. *« Dieu et l'Humanité n'ont basé leur cause sur rien qu'eux-mêmes. Je baserai donc ma cause sur Moi : aussi bien que Dieu, je suis la négation de tout le reste, je suis pour moi tout, je suis l'Unique ».* Ce Moi est encore tenu pour indéfinissable puisque toute définition l'inclurait dans une catégorie à laquelle on ne saurait le rapporter sans le mutiler.

Ce point de vue est obtenu par une critique radicale des positions défendues par les hégéliens de gauche, en particulier par Feuerbach. La critique de la religion effectuée par ce dernier aboutissait, on s'en souviendra, à « anthropologiser » la théologie, Dieu et la religion. Stirner s'insurge : on crée ainsi une nouvelle idole, l'Humanité, à laquelle le Moi devra encore se soumettre. La critique de Stirner se poursuit ensuite pour englober jusqu'aux positions des révolutionnaires qui cherchent à soumettre l'Unique à la dictature de catégories abstraites : la Société, divinisée, à laquelle nous devons soumission et obéissance ; l'État qui n'a, affirme Stirner, *« ...qu'un but : limiter, dompter, assujettir l'individu et le subordonner à quelque chose de général »* ; la Révolution elle-même, dernier avatar de la divinisation de la société, du général, du collectif et nouveau prétexte à l'oppression du Moi : *« Lorsque le communiste voit en toi l'homme et le frère, cela est conforme à l'avis que le communiste professe le dimanche. Selon l'avis qu'il professe tous les jours, il ne te considère aucunement comme homme tout court, mais comme un travailleur humain ou un homme travailleur. Le principe libéral anime le premier avis, dans le second se cache son caractère antilibéral. Si tu étais un fainéant, il ne méconnaîtrait certes pas en toi l'homme mais il s'efforcerait de le purifier, en tant qu'homme paresseux, il tâcherait de te convertir à la foi selon laquelle le travail est la destination et la vocation de l'homme. »*

Le Moi doit donc entreprendre un long exercice de réappropriation de soi et de découverte de son unicité, il doit s'extraire de la gangue des idées générales et abstraites où tout concourt à l'enfermer. Rien n'échappe à cette virulente critique : *« Religion, morale, Dieu, conscience, Parti, devoirs et toutes ces bêtises dont on nous a bourré la cervelle et le cœur »*. Notons au passage à quel point l'analyse faite par Stirner de l'éducation a conservé toute sa puissance et combien les idéaux qu'il met en avant restent stimulants : *« On pousse les jeunes en troupeau à l'école et quand ils savent par cœur le verbiage des vieux, on les déclare majeurs »* ; et encore : *« Toute éducation doit devenir personnelle - ce n'est pas le savoir qui doit être inculqué, c'est la personnalité qui doit parvenir à son plein épanouissement. [...] Le point de départ de la pédagogie ne doit pas être de civiliser mais de former des personnalités libres, des caractères souverains »*.

Au terme de cette critique, Stirner propose par l'associationnisme de refonder la vie sociale, mais envisagée cette fois comme réunion d'égoïstes librement et volontairement associés. Ces associations, toujours résiliables, permettent au Moi de préserver sa souveraineté et son unicité et constituent pour Stirner les seules qui soient naturelles et acceptables.

Des individualistes, disciples de Stirner, ont constamment jalonné l'histoire de l'anarchisme. À la Belle Époque ils seront même nombreux et feront beaucoup parler d'eux, notamment en prônant la libération sexuelle et en pratiquant ce qu'ils nommeront pudiquement la « réappropriation individuelle », en termes clairs, le vol. Face à ces dernières pratiques comme devant certaines des idées de Stirner, on ne peut manquer de soulever des réserves. Cependant, si on accorde à Murray Bookchin que l'anarchisme se développe largement en travaillant cette tension entre la tendance vers le développement personnel qu'institue Stirner et la tendance qui s'efforce, *a contrario*, de promouvoir une liberté sociale et ses fondements et conditions collectifs, il faut alors convenir que l'égoïsme de Stirner et son associationnisme ont joué un rôle non négligeable dans le développement de la pensée anarchiste.

Notons pour finir le nom d'Émile Armand, le plus célèbre sans doute des anarchistes individualistes. Jusqu'à sa mort en 1962, Armand propage ses idées dans des revues (*L'En-Dehors,* notamment) et des ouvrages qui font scandale, en particulier à cause de la liberté sexuelle qu'il y prône. C'est Armand qui est l'auteur de la célèbre sentence: *« Le mariage est une prostitution à long terme, la prostitution, un mariage à court terme »*.

Pierre-Joseph Proudhon (1809-1865) et le mutualisme

D'origines modestes, le Français Proudhon est né à Besançon en 1809 (Franche-Comté). Faute d'argent, il doit bientôt interrompre ses études et devient typographe. *« Je sais ce que c'est que la misère,* écrira-t-il plus tard. *J'y ai vécu. Tout ce que je sais, je le dois au désespoir ».*

En 1838, une bourse que lui attribue l'Académie de Besançon lui permet de monter à Paris et de se consacrer à la rédaction d'un ouvrage. Celui-ci paraît en 1840 et s'intitule *Qu'est-ce que la propriété?* L'œuvre fait scandale et lui vaut simultanément le retrait de sa bourse et l'admiration et l'estime du jeune Marx. Ce livre comprend la célèbre sentence *« La propriété c'est le vol »* et l'utilisation, pour la première fois, du terme « anarchisme » pour décrire la position politique qui est, depuis, connue sous ce nom. Les deux passages suivants sont très célèbres et méritent d'être cités intégralement.

« Si j'avais à répondre à la question suivante : Qu'est ce que l'esclavage? et que d'un seul mot je répondisse : C'est l'assassinat, ma pensée serait d'abord comprise. Je n'aurais pas besoin d'un long discours pour montrer que le pouvoir d'ôter à l'homme la pensée, la volonté, la personnalité, est un pouvoir de vie et de mort, et que faire un homme esclave, c'est l'assassiner. Pourquoi donc à cette autre demande : Qu'est-ce que la propriété? ne puis-je de même répondre : C'est le vol, sans avoir la certitude de ne pas être entendu, bien que cette seconde proposition ne soit que la première transformée? »

Ensuite :

- ... vous êtes républicain.

- Républicain, oui ; mais le mot ne précise rien. Res publica, *c'est la chose publique ; or, quiconque veut la chose publique, sous quelque forme de gouvernement que ce soit, peut se dire républicain. Les rois aussi sont républicains.*

- Eh bien! vous êtes démocrate?

- Non.

- Quoi! Vous seriez monarchique?

- Non.

- Constitutionnel?

- Dieu m'en garde.

- Vous êtes donc aristocrate?

- Point du tout.

- Vous voulez un gouvernement mixte?

- Encore moins.

- Qu'êtes-vous donc?

- Je suis anarchiste.

- Je vous entends : vous faites de la satire ; ceci est à l'adresse du gouvernement.

- En aucune façon : vous venez d'entendre ma profession de foi sérieuse et mûrement réfléchie ; quoique très ami de l'ordre, je suis, dans toutes les forces du terme, anarchiste.

De nouveau sans ressources, Proudhon part travailler à Lyon en 1840. Mais il continue à faire paraître des textes qui lui assurent une popularité sans cesse grandissante mais aussi des démêlés avec la justice. C'est durant cette période qu'il imagine ces institutions de crédit mutuel, ces coopératives ouvrières et tout ce mouvement associatif auxquels son nom restera attaché.

Proudhon appuie, bien qu'avec des réserves et des nuances, la Révolution de février 1848. Cette même année, il lance le premier journal anarchiste *Le Représentant du Peuple* et il est élu à l'Assemblée nationale. En janvier 1849 il crée la Banque du Peuple, que le pouvoir ferme bientôt. Proudhon est contraint à l'exil, puis, à son retour en France, à la prison, où il restera enfermé trois ans.

En 1851, il fait paraître *Idée générale de la révolution au XIXe siècle* qui propose et défend un idéal de société anarchiste fondée sur des contrats librement consentis et sur l'idée de communes librement fédérées. À partir de ce moment, il se déclare volontiers fédéraliste.

En 1858, Proudhon est de nouveau condamné à une peine de prison et s'enfuit en Belgique. Il rentre en France en 1862. Le mutualisme et le fédéralisme qu'il prône sont désormais des forces avec lesquelles il faut compter. Proudhon meurt en 1865. Mais il aura eu le temps d'apprendre le rôle important que jouent ses idées au sein de la toute nouvelle Internationale qui vient de se former.

On a parfois écrit que l'œuvre de Proudhon était une sorte d'auberge espagnole, chacun n'y trouvant finalement que ce qu'il y avait apporté. Cette opinion est exagérée, comme l'est celle qui avance que l'œuvre proudhonienne n'est que contradictions. Mais il est vrai que sa pensée est parfois complexe et subtile. C'est notamment le cas sur la question de la propriété que Proudhon condamne tout en en défendant une forme très précise : la possession. Il est également vrai qu'il adopte, sur certains sujets, des points de vue qu'on ne peut que qualifier d'étonnants, voire à certains égards d'inconsistants. *« Dieu, c'est le mal »* a ainsi écrit Proudhon, farouchement antithéiste pour utiliser ce mot qu'il crée pour désigner sa position ; mais il fit par ailleurs élever chrétiennement ses filles. En outre, on n'a pas manqué de souligner, et avec raison, le déplorable et inexcusable machisme de celui qui fut par ailleurs un amoureux de la liberté et de l'égalité.

Mais le fait demeure que Proudhon se veut un penseur non systématique et qu'il se méfie des absolus comme des solutions définitives.

Au point de départ de sa pensée, cet antiautoritarisme qui s'élève contre le gouvernement, le pouvoir, l'État, les lois, le suffrage - même universel - comme autant de moyens *« d'opprimer et d'exploiter ses semblables »*. Pour Proudhon, le véritable enjeu, clef de tout le reste, est cependant économique. C'est donc dans une rénovation de l'économie que Proudhon cherchera d'abord les conditions d'une société anarchiste. Résumant ce projet, il écrit qu'il cherche à : « [...] *fondre, immerger et faire disparaître le système politique ou gouvernemental dans le système économique, en réduisant, simplifiant, décentralisant, supprimant l'un après l'autre tous les rouages de cette grande machine qui a nom le gouvernement* ».

Il s'en prend d'abord à l'économie capitaliste et à l'exploitation qu'il y décèle, avant Marx. Par exemple : « *Le capitalisme a payé les journées des ouvriers. Pour être exact, il faut dire que le capitaliste a payé autant de fois une journée qu'il a employé d'ouvriers chaque jour, ce qui n'est point du tout la même chose. Car cette force immense qui résulte de l'action et de l'harmonie des travailleurs, de la convergence et de la simultanéité de leurs efforts, il ne l'a pas payée. Deux cents grenadiers ont en quelques heures dressé l'obélisque de Louqsor sur sa base, suppose-t-on qu'un seul homme, en 200 jours, en serait venu à bout? Cependant, au compte du capitaliste, la somme des salaires eut été la même* ».

Ce que Proudhon récuse sous le nom de propriété, c'est un mode d'appropriation injuste, rendu possible par un type d'organisation économique. Mais il préserve l'idée de possession, entendue comme libre disposition par chacun de cette part de son travail lui revenant légitimement, payée en bons de travail. « *Tout travail humain résultant nécessairement d'une force collective, toute propriété devient, par la même raison, collective et indivise : en termes plus précis, le travail détruit la propriété* ». Sur la détermination exacte de cette part Proudhon a pu varier, mais il est demeuré constant sur le principe de la distinction entre propriété et possession : « *La possession individuelle est la condition de la vie sociale ; cinq mille ans de propriété le démontrent : la propriété est le suicide de la société. La possession est dans le droit ; la propriété est contre le droit.* »

On a maintes fois fait remarquer combien les doctrines économiques de Proudhon étaient intimement liées aux pratiques des paysans, des petits artisans et des commerçants indépendants. C'est exact en grande partie et Proudhon ne s'en était d'ailleurs pas caché : «*...l'unité constitutive de la société est l'atelier* », écrit-il et il ajoute que dans la commune anarchiste « *l'atelier remplacera le gouvernement* ».

Mais les contributions économiques les plus significatives de Proudhon, celles qui auront le plus de retentissement historique, nous les trouvons ailleurs que dans cette attachement, sans doute nostalgique, à l'atelier. Son originalité et son intérêt tiennent, en particulier, dans ce mutualisme par lequel il préfigure le mouvement coopératif et dans l'idée d'autogestion, dont on peut soutenir qu'il est le premier à l'avancer avec une telle puissance de conviction. Proudhon imagine en effet des banques du peuple, prêtant sans intérêt et acceptant comme paiement des bons de travail. Les ouvriers, par ailleurs, sont associés dans une unité de production qu'ils possèdent et gèrent eux-mêmes, en égaux.

Si le mutualisme et l'autogestion permettent l'affranchissement et le bien-être économiques, c'est le fédéralisme qui assure l'affranchissement politique. « *L'association libre, la liberté, qui se borne à maintenir l'égalité dans les moyens de production, et l'équivalence dans les échanges, est la seule forme de société possible, la seule juste, la seule vraie. La politique est la science de la liberté : le gouvernement de l'homme par l'homme, sous quelque nom qu'il se déguise, est oppression ; la plus haute perfection de la société se trouve dans l'union de l'ordre et de l'anarchie.* »

Comme les contrats librement consentis entre producteurs, le contrat politique lie des contractants - commune, canton, province - en leur assurant plus de droits et de liberté qu'ils n'en abandonnent. Dans une telle société - et seulement dans une telle société - pense Proudhon, chacun deviendra « *autocrate de lui-même* ». Dès lors, « *il n'y a plus ni fort ni faible ; il n'existe que des travailleurs dont les facultés et les moyens tendront sans cesse par la solidarité individuelle et la garantie de circulation à s'égaliser* ».

Antiautoritarisme, antiétatisme, égalitarisme, mutualisme, fédéralisme, autogestion : l'anarchisme ultérieur pourra s'éloigner de l'une ou l'autre de ces positions. Mais pour les avoir articulées en un tout finalement cohérent, Proudhon mérite sans aucun doute le titre de fondateur de l'anarchisme qui lui est généralement reconnu.

Bakounine, qui s'écartera lui-même sensiblement des positions proudhoniennes, ne s'y était pas trompé en le déclarant *« notre maître à tous »*.

Bakounine (1814-1876) et le fédéralisme

Fils de famille noble, Michel Bakounine est né en Russie en 1814. Son père, disciple de Rousseau et adepte de ses idées pédagogiques, se chargea lui-même de la première éducation de son fils.

Bakounine est ensuite élève de l'École d'artillerie de Saint-Petersbourg, puis entreprend une carrière militaire dont une passion pour la littérature le détourne en 1835.

Il s'intéresse alors à la philosophie allemande, à Fichte d'abord, puis à Hegel. En 1840, il part étudier la philosophie à Berlin et, à partir de 1842, fréquente les jeunes hégéliens de gauche. Sous l'influence de l'un d'entre eux, Arnold Ruge, il interprète la dialectique hégélienne comme pouvant et devant être mise au service de la révolution et non de la réaction, à l'instar de ce que proposait Hegel. Bakounine exalte le moment négatif de la triade dialectique, celui de la révolte et de la destruction : *« La joie de la destruction est en même temps une joie créatrice »*, écrit-il à cette époque.

Les positions radicales qu'il professe au même moment en Europe en faveur de la libération des Slaves et des Polonais lui valent, *in absentia*, d'être condamné à l'exil par le gouvernement russe. Bakounine est alors en Belgique, mais il revient en France en 1848, à la faveur de la Révolution.

Il est de toutes les luttes - et pas seulement par l'écrit. Il monte aux barricades, fomente complots et conspirations. Celui qu'on décrit comme un titan à l'énergie illimitée se dépense sans compter pour la cause de la Révolution. Condamné à mort en Saxe et en Autriche, Bakounine est finalement remis en 1849 aux autorités russes. En 1857, il est transféré en Sibérie. De là, il s'évade en 1861 et entreprend un long et périlleux périple via le Japon et les États-Unis au terme duquel on le retrouve en Europe.

À compter de ces dates, la pensée de Bakounine devient indéniablement et totalement anarchiste ; mais il ne cesse, en même temps qu'il développe ses idées, de chercher à satisfaire son insatiable besoin d'action : il participe en 1863, avec des Polonais, à une tentative infructueuse d'invasion de la Lituanie, puis s'enfuit en Italie ; à Naples, en 1865, il organise une Fraternité Internationale puis une Ligue pour la paix et la liberté ; en 1868, il fonde l'Alliance internationale pour la démocratie socialiste, qu'il dissout la même année pour rejoindre Marx et l'Internationale. Les conflits qui l'opposent à Marx, avec les délégués d'Europe du Sud (les fédérations italienne, espagnole et jurassienne - la fédération française ayant été interdite après la Commune de 1871) sont épiques. Ils concernent l'essence, la signification et les moyens de l'action et de la théorie politiques révolutionnaires.

En 1872, le Congrès de La Haye exclut Bakounine de l'Internationale.

Deux années plus tôt, il avait pris part à la Commune de Lyon ; en 1874, il prenait encore part à l'insurrection de Bologne. Mais sa santé est déclinante et il meurt à Berne en 1876.

L'anarchisme de Bakounine repose sur l'idée d'une humanisation progressive de l'espèce rendue possible par l'exercice de la raison qui découvre peu à peu les lois de la nature et fonde par là et rend possible une liberté toujours plus grande, à mesure et à proportion que se réalise cette humanisation. On n'a pas manqué de remarquer l'importance de ce que ces idées doivent à Hegel, à Comte, à Marx et à Proudhon. Mais l'originalité de Bakounine réside ailleurs que dans ce schéma et tient notamment à trois éléments : l'athéisme et l'anticléricalisme virulents qu'il professe ; la critique remarquablement juste de ce que Bakounine appelait le socialisme autoritaire ; la définition du fédéralisme comme architecture d'une société et d'un monde anarchistes.

Bakounine reconnaît en la religion un des moments importants de l'humanisation de l'espèce. Mais il est également convaincu que le moment est venu de mettre un terme à ce qu'il nomme *« l'esclavage divin »*, désormais obstacle à l'humanisation, source ultime de toute autorité et fondement de tous les autres esclavages. *« Toute autorité temporelle et humaine,* écrit Bakounine, *procède directement de l'autorité spirituelle ou divine. Mais l'autorité c'est la négation de la liberté. Dieu, ou plutôt la fiction de Dieu, est donc la consécration et la cause intellectuelle et morale de tout esclavage sur la terre et la liberté des hommes ne sera complète que lorsqu'elle aura complètement anéanti la fiction d'un maître céleste »*. Le syllogisme jugé si scandaleux auquel ce point de vue aboutit est bien connu : *« Si Dieu est, l'homme est esclave ; or, l'homme peut et doit être libre ; donc Dieu n'existe pas. »*

Sa révolte s'attaque ensuite à l'État, *« frère cadet de l'Église »* et autre *« mal historiquement nécessaire »* mais destiné lui aussi à disparaître. Bakounine, farouchement antiautoritaire, se livre à une charge féroce contre tout État, y compris celui qui prétendrait exercer son pouvoir dans l'intérêt de la majorité opprimée : *« Nous repoussons toute législation, toute autorité, toute influence privilégiée, patentée, officielle et légale, même sortie du suffrage universel, convaincus qu'elle ne peut jamais tourner qu'au profit d'une minorité dominante et exploitante contre les intérêts de l'immense majorité asservie. Voilà en quoi nous sommes anarchistes »*.

C'est notamment sur ce point précis que se joue l'âpre confrontation qui oppose les libertaires aux marxistes et aux communistes - les « socialistes autoritaires » - au sein de la Première Internationale. Bakounine prédit que la dictature du prolétariat chère aux communistes, loin de mener au dépérissement de l'État (cette prétention constitue à ses yeux le *« mensonge le plus vil et le plus redoutable qu'ait engendré notre siècle »)*, ne peut que déboucher sur une nouvelle et effroyable tyrannie, une *« bureaucratie rouge »* dont l'avènement lui paraît inévitable. L'histoire a amplement confirmé la justesse de cette prédiction. *« Prenez le révolutionnaire le plus radical,* expliquait encore Bakounine*, et placez-le sur le trône de toutes les Russies ou conférez-lui un pouvoir dictatorial* [..] *: avant un an, il sera devenu pire que le tsar. »*

Le fédéralisme qu'il défend, enfin, met notamment en jeu quelques idées qu'on ne peut passer sous silence.

Ce qui conduira à ce mode d'organisation sociale non étatique, selon Bakounine, nettement marqué par le romantisme de son époque, est une révolte soudaine, spontanée. S'il reconnaît l'importance de l'action syndicale - sa pensée préfigure en partie l'anarcho-syndicalisme dont nous reparlerons - et s'il prône même des actions menées par des groupuscules conspirant contre l'ordre établi, Bakounine met néanmoins toute sa confiance dans le spontanéisme des masses.

Cette phase destructrice liquide les vieilles institutions - l'Église, l'État, l'appareil judiciaire, les banques, l'armée et ainsi de suite, sans oublier l'héritage - et permet l'établissement d'une société libre et égalitaire, assurant la participation de tous ses membres désormais éduqués et libérés des contraintes économiques, aux affaires communes : *« Tout individu, homme ou femme, venant à la vie, trouve des moyens à peu près égaux pour le développement de ses différentes facultés et pour leur utilisation par son travail »* ; il s'agit, écrit-il encore *« d'organiser une société qui, rendant à tout individu, quel qu'il soit, l'exploitation du travail d'autrui impossible, laisse chacun participer à la jouissance des richesses sociales qu'il aura contribué à produire par le sien. »*

L'organisation politique se fait de bas en haut, par la démocratie directe, les individus se fédérant librement. Le principe fédératif permet progressivement de lier *« la fédé-*

ration libre des individus dans les communes, les communes dans les provinces, les provinces dans les nations, enfin celles-ci dans les États-Unis de l'Europe, d'abord, puis du monde entier ». Bakounine consacre de longs développements au fonctionnement de ces entités fédérées. Mais par delà ces descriptions et leur part d'utopie, sans doute, c'est l'esprit qui anime ces pages qui est remarquable. Bakounine y développe un concept de liberté fort riche, lié à celui de solidarité, par lequel la liberté de chacun trouve non sa limite mais la possibilité de son infinie extension dans celle des autres. *« La loi de la solidarité sociale est la première loi humaine ; la liberté est la seconde loi. Ces deux lois s'interpénètrent et, étant inséparables, elles constituent l'essence de l'humanité. Ainsi la liberté n'est pas l'essence de la solidarité ; au contraire, elle en est le développement et, pour ainsi dire, l'humanisation »*.

S'il est vrai que Bakounine n'a pas été un théoricien aussi puissant et original que Marx, Proudhon ou Kropotkine, sa conception de la liberté et de la solidarité mérite encore toute notre attention : *« Je ne suis vraiment libre que lorsque tous les êtres humains qui m'entourent, hommes et femmes, sont également libres, de sorte que plus nombreux sont les personnes libres qui m'entourent et plus profonde et plus large est leur liberté, et plus étendue, plus profonde et plus large devient la mienne. »*

Pierre Kropotkine (1842-1921) et l'anarcho-communisme

Petr Alekseïevitch Kropotkine est une des personnalités les plus attachantes du mouvement anarchiste et on ne compte plus ceux qui, l'ayant connu, ont salué ses grandes qualités humaines.

Dernier grand représentant de l'anarchisme classique, Kropotkine est aussi un savant admiré de ses pairs.

Géographe, il fera certaines de ses plus importantes contributions scientifiques à cette discipline ; il s'intéressera aussi à l'anthropologie, à l'histoire, à la biologie, à la sociologie. Mais Kropotkine est avant tout le plus ardent promoteur de l'anarcho-communisme et le plus important et le plus profond théoricien de l'anarchisme, auquel il s'est efforcé de donner des fondements scientifiques.

Issu de la haute noblesse russe (il est prince de naissance), Kropotkine, comme il le raconte dans ses *Mémoires d'un révolutionnaire*, est d'abord page à la cour du tsar et se destine à une carrière militaire. Mais la lecture des écrits libéraux qui se multiplient en Russie exerce bientôt une grande influence sur lui et l'incite à demander, au début des années 1860, à aller travailler en Sibérie, où dit-il, il espère avoir plus de chance de *« servir l'humanité »*.

Kropotkine profite de son séjour pour réunir des données scientifiques qu'il utilisera pour apporter certaines de ses contributions les plus remarquées à la géographie physique. Mais il étudie également le système pénitentiaire russe qui le révulse. Plus tard, lui-même passera de nombreuses années en prison et consacrera quelques textes aux effets détestables et néfastes du système carcéral et à sa nécessaire réforme.

En 1865, en Sibérie, Kropotkine lit Proudhon et commence à s'initier aux conceptions anarchistes. L'année suivante, il démissionne de l'armée pour protester contre l'exécution des Polonais évadés.

Pendant les années suivantes, en Russie et en Europe, Kropotkine consacre l'essentiel de son activité à la géographie, dont il devient une figure de tout premier plan. Mais en 1870, il décide de se consacrer à l'action et à la théorie politiques. Il prend alors contact avec des représentants des diverses tendances socialistes et étudie chacune d'elles. Une visite aux horlogers libertaires du Jura achève de le convaincre et c'est là qu'il devient définitivement anarchiste.

Kropotkine retourne ensuite en Russie et participe à des activités révolutionnaires. Il est arrêté en 1874, s'évade en 1876 - une spectaculaire et rocambolesque évasion. Il retourne alors en Europe. Commence une importante période de propagande et de militantisme qui durera dix ans. En 1882, il est de nouveau arrêté, cette fois en France, avec une soixantaine d'autres anarchistes et pour une prétendue participation à des actes terroristes. Sa condamnation à cinq années de prison, à la suite d'un procès inique, suscite de vives protestations internationales. Il en profite pour donner des cours à ses camarades de détention et pour écrire de très nombreux articles scientifiques dont certains paraîtront dans l'*Encyclopædia Britannica*.

Libéré en 1886 à la suite des pressions de l'opinion publique internationale, Kropotkine part en Angleterre, où il demeurera jusqu'à son retour en Russie en 1917, à la faveur de la révolution. Ces années sont celles au cours desquelles Kropotkine fera ses plus importantes contributions théoriques à l'anarchisme. Jusque là, ses écrits avaient été des textes circonstanciels, parus dans des revues et des journaux et rattachés à l'action et à l'événement. En Angleterre, Kropotkine systématise ses vues et développe avec une force et une rigueur nouvelles les thèses de l'anarcho-communisme dont il s'est fait le promoteur. Il s'efforce également de rapprocher la théorie anarchiste de la science de son temps, sinon à lui donner des fondements scientifiques. Il aborde ainsi la sociologie, l'économie, l'histoire, la philosophie et la biologie. Son travail le plus remarquable, au cours de cette période, est sans doute celui qu'il fait paraître sous le titre *L'entraide, un facteur de l'évolution.* J'y reviendrai plus longuement lorsque j'aborderai les positions morales des anarchistes.

En 1916, Kropotkine rédige et signe, avec des compagnons, le *Manifeste des Seize* qui appuie l'Union Sacrée. Une scission majeure s'opère au sein du mouvement anarchiste entre les signataires de ce texte et les anarchistes demeurés pacifistes et internationalistes qui dénoncent le Russe comme un « *anarchiste de gouvernement* ».

Kropotkine rentre en Russie en 1917. Il est désormais un savant renommé et un intellectuel respecté dans le monde entier. Un court instant, il aura l'espoir que la Révolution russe qui s'amorce prendra un tour libertaire et que les Soviets - les Conseils - l'emporteront. Il est très vite désenchanté et intitule *Comment le communisme ne doit pas être introduit* la lettre qu'il rédige à l'intention des travailleurs de l'Europe occidentale, en avril 1919. Il écrit : « *L'état de guerre a été un prétexte pour renforcer les méthodes dictatoriales du Parti ainsi que sa tendance à centraliser chaque détail de la vie dans les mains du gouvernement, ce qui a eu pour effet d'arrêter l'immense branche des activités usuelles de la nation.* [...] *Aussi longtemps qu'un pays est gouverné par la dictature d'un parti, les conseils d'ouvriers et de paysans perdent toute leur signification.* [...] *Un conseil du travail cesse d'être un conseiller libre et sérieux quand il n'y a pas de liberté de la presse dans le pays, et nous nous trouvons dans cette situation depuis près de deux ans.* »

Kropotkine meurt le 8 février 1921, dans le village de Dimitrov, près de Moscou. Le dimanche suivant, se tiennent ses imposantes funérailles. Le pouvoir avait souhaité tenir des obsèques nationales, ce qui fut refusé par ses proches qui demandèrent que l'on consente à libérer, ne serait-ce que pour la journée, certains des nombreux anarchistes emprisonnés par les Bolcheviks. Les funérailles de Kropotkine virent défiler des milliers de personnes brandissant des drapeaux rouges ou noirs : elles furent l'occasion de la dernière manifestation publique de l'anarchisme en URSS.

Une monumentale *Éthique*, demeurée inachevée, paraît l'année suivante.

Après l'associationnisme de Stirner, le mutualisme de Proudhon et le fédéralisme de Bakounine, l'anarcho-communisme de Kropotkine est le dernier des grands modèles proposés par l'anarchisme classique. La plupart de anarchistes, s'ils ont volontiers indiqué les grandes orientations d'une société anarchiste, l'ont surtout fait de manière à échapper à l'accusation d'utopisme qu'on n'a pas manqué de soulever contre eux. Mais la plupart ont également refusé de s'engager dans la direction, à leurs yeux autoritariste, potentiellement contreproductive et dangereuse, qui consisterait à dresser des plans précis et définitifs de cette société non autoritaire et non étatiste. Comme l'écrit Kropotkine, l'harmonie dans une telle société sera obtenue *« par un incessant mouvement d'ajustement et de réajustement entre une multitude de forces et d'influences »*, son fonctionnement précis ne pourra donc se découvrir que par l'expérimentation.

Kropotkine ne fait pas exception à cette règle. Mais il y a en plus chez lui un net souci d'établir la viabilité de l'organisation sociale libérée des contraintes de l'autorité illégitime ainsi qu'un sens des réalités pratiques qui le conduit à traiter de manière pragmatique les diverses questions qu'il aborde pour montrer comment on peut répondre aux objections qui sont soulevées contre les solutions des anarchistes. C'est précisément le cas sur le terrain de l'économie, où Kropotkine développe avec le plus de détails le mode d'organisation possible d'une société anarcho-communiste.

Ses travaux d'historien ont conduit Kropotkine à soutenir que les expériences de la Révolution française et de la Commune démontrent qu'il faut abandonner l'illusion de la nécessité du gouvernement représentatif. Le maître mot de la révolution est désormais pour lui, comme pour les anarchistes européens, celui d'expropriation. Mais comment penser et organiser l'économie à partir du jour J où celle-ci sera effective? Kropotkine avance, dans *La Conquête du pain* ainsi que dans *Fields, Factories and Workshops (Champs, usines et ateliers)*, une argumentation convaincante de la viabilité et de l'efficience d'une économie pensée du point de vue des consommateurs et des besoins humains. Cette économie ignore bien évidemment le salariat, même dans ces formes assouplies des « bons » que retenait Proudhon ; elle fonctionne selon le principe : *« à chacun selon ses besoins »* et pratique la prise au tas, dans des entrepôts prévus à cette fin. La lecture de ces ouvrages constitue une expérience peu banale, notamment parce que Kropotkine semble avoir prévu et répondu par avance à bien les objections qu'on serait tenté de lui faire. Mais par-delà cet argumentaire, c'est la haute teneur morale de la réflexion, son sens de la justice qui frappent surtout le lecteur. *« Tout est à tous,* écrit Kropotkine, *puisque tous en ont besoin, puisque tous ont travaillé dans la mesure de leurs forces et qu'il est matériellement impossible de déterminer la part qui pourrait appartenir à chacun dans la production actuelle des richesses. »* La conclusion de ces livres étonnants est la suivante : *« Supposez une société comprenant plusieurs millions d'habitants engagés dans l'agriculture et une grande variété d'industries.* [...] *Admettez* [...] *que tous les adultes* [...] *s'engagent à travailler cinq heures par jour de l'âge de vingt ou vingt-deux ans à celui de quarante-cinq ou cinquante ans, et qu'ils s'emploient à des occupations au choix, en n'importe quelle branche des travaux humains considérés comme nécessaires. Une telle société pourrait en retour garantir le bien être à tous ses membres - c'est-à-dire une aisance autrement réelle que celle dont jouit aujourd'hui la bourgeoisie. »* Enfin, et peut-être surtout, Kropotkine rappelle combien, à côté des besoins physiques, une telle société s'emploierait à satisfaire les besoins artistiques, intellectuels et moraux de ses membres : *« Autant d'individus, autant de désirs ; et plus la société est civilisée, plus l'individualité est développée, plus ces désirs sont variés. »*

Cet esprit et ces valeurs de Kropotkine sont ce qui anime toujours certaines des recherches et propositions anarchistes contemporaines en économie. Nous les retrouverons en particulier dans cette « économie participative » dont je traiterai plus loin.

Quelques continuateurs

Après Kropotkine, et jusqu'à Noam Chomsky, le mouvement anarchiste produit un nombre considérable de penseurs, de théoriciens, mais qui ne renouvellent pas, du moins ni sensiblement ni de façon notable, l'éventail des positions anarchistes. Des personnalités fortes et attachantes continuent pourtant d'apparaître. J'en évoque ici quelques-unes, passant sous silence des auteurs et des militants dont les contributions seront examinées plus loin dans cet ouvrage.

Aux États-Unis, Emma Goldman (1869-1940), auteure prolifique née en Russie et immigrée en 1885, se fait, à travers des livres, des conférences (dont certaines à Montréal) et un journal (*Mother Earth),* l'infatigable promoteur des idéaux anarchistes. Avec d'autres comme Voltairine de Cleyre (1866-1912) elle y greffe solidement le rameau féministe et cet anarcha-féminisme prendra bientôt de plus en plus d'importance. Une partie de l'activité de Goldman sur ce terrain consistera à promouvoir l'usage de la contraception. Elle et son compagnon, Alexander Berkman, s'opposeront à la Première Guerre mondiale ce qui leur vaudra la prison en 1917, puis l'exil deux ans plus tard. Partant alors découvrir la Révolution russe, ils sont horrifiés par l'État policier que Lénine met en place. Goldman dénonce aussitôt la dérive totalitaire du régime soviétique dans un ouvrage remarquable *My Disillusionment with Russia* (1923). Quant à *L'ABC de l'anarchisme* de Berkman, il reste une des meilleures introduction aux idées des libertaires.

En même temps se développe aux États-Unis un fort courant d'anarchisme individualiste, inspiré de Stirner. Benjamin Tucker (1854-1939) et Lyssander Spooner (1808-1887) en sont les représentants les plus connus. On y trouve notamment une argumentation qui s'articule autour d'une opposition ferme aux impôts et aux taxes. Les anarcho-capitalistes contemporains chercheront à rattacher leur position à celles de ces auteurs, ce qui suscite, de nos jours encore, d'âpres controverses. Notons également le nom de David Henry Thoreau (1817-1862), théoricien de la désobéissance civile et pacifiste.

Toujours aux États-Unis, l'anarchisme occupe encore le devant de la scène à deux reprises. La première fois en 1886, lors de l'affaire du Haymarket dont je reparlerai (I, C) ; la seconde à partir de 1920, lors de l'affaire Sacco et Vanzetti, qui voit l'arrestation puis la longue détention et enfin l'exécution, le 23 août 1927, de ces deux ouvriers anarchistes d'origine italienne accusés du vol de la paie de la compagnie pour laquelle ils travaillaient, mais qui ne cesseront de clamer leur innocence. Ces deux événements suscitèrent de très importants mouvements de sympathie à travers le monde.

Pour finir, notons encore la forte personnalité de Paul Goodman qui propose notamment une stimulante réflexion sur l'éducation dans *Compulsory Miseducation* (1962) et *The Community of the Scholars* (1964), laquelle préfigure les thèses des partisans d'une « déscolarisation » sur lesquelles je reviendrai également (II, D).

En Italie, Errico Malatesta (1853-1932) n'a que 14 ans quand il est arrêté pour la première fois : il est accusé d'insulte au roi, pour une lettre qu'il lui a adressée pour dénoncer une injustice. D'abord disciple de Bakounine, il se rapproche de Kropotkine et prône l'action directe et la propagande par le fait. « *L'anarchisme est né d'une révolte morale contre l'injustice sociale* », écrit-il et son succès passe « *par la prise de conscience, par ceux qui sont habitués à l'obéissance et la passivité, de leur pouvoir réel et de leur possibilité* ». Il passe à l'acte à Bénévent, en 1877 : Malatesta et ses compagnons distribuent des armes aux habitants et brûlent les archives de l'administration. À compter de ce moment, Malatesta est contraint à l'exil et sa vie est faite de voyages, de militantisme, de lancements de revues et de publications de manifestes, d'articles et d'ouvrages. Il insiste en particulier sur la nécessité de l'organisation pour les groupes anarchistes.

En 1907 se tient à Amsterdam le Congrès anarchiste international. Une célèbre polémique l'oppose alors à Pierre Monatte. Ce dernier prône l'entrée des anarchistes dans les syndicats ; Malatesta s'y oppose fermement : « *La révolution anarchiste que nous voulons transcende les intérêts d'une seule classe : elle prévoit la libération de toute l'humanité qui, pour le moment, est tenue en esclavage économique, politique ou moral* ».

Malatesta rentre une première fois en Italie en 1913. Il organise alors la célèbre Semaine rouge de 1914, alors que des manifestations tenues à Ancône débouchent sur une grève générale dans tout le pays. Contraint à l'exil, il s'oppose ensuite avec vigueur à ce qu'il perçoit comme une inqualifiable trahison de la part de Kropotkine et des autres signataires du belliciste *Manifeste des Seize* qui, à ses yeux, se porte à la défense d'un impérialisme contre un autre. Malatesta rappelle que l'internationalisme des anarchistes leur interdit pareille compromission.

Malatesta revient définitivement en Italie en 1919. En 1920, il prend part à un vaste et célèbre mouvement d'occupations d'usines. En 1926, les Fascistes l'assignent en résidence surveillée et le réduisent au silence. Il meurt six ans plus tard.

En France, Jean Grave (1854-1939), cordonnier autodidacte, fonde *La Révolte* puis *Les Temps nouveaux* ; ce dernier journal paraîtra jusqu'en 1914 et sera un des hauts lieux de la collaboration entre artistes, écrivains et anarchistes.

Sébastien Faure (1852-1942) sera une des grandes figures de l'anarchisme et du pacifisme français. Opposé à l'anarcho-syndicalisme et à la propagande par le fait, il mise sur l'éducation pour faire avancer la cause anarchiste et met sur pied une école, *La Ruche*, qui fontionnera pendant 10 ans, jusqu'en 1904. Conférencier, fondateur de revues, Faure est également l'éditeur de *L'Encyclopédie anarchiste* (1934), ouvrage monumental et aujourd'hui très recherché.

Paul Robin (1837 - 1912) sera lui aussi éducateur, il fondera et animera *Cempuis*, une autre expérience pédagogique libertaire bien connue. Robin sera également un ardent promoteur du contrôle des naissances et du néo-malthusianisme, cette doctrine qui séduira quelques temps certains anarchistes.

Élisée Reclus (1830-1905) anime *Le Révolté*, journal qu'il a fondé avec Kropotkine et Jean Grave. On se souvient surtout de lui aujourd'hui pour une imposante *Géographie universelle* qui établira sa renommée dans cette discipline.

En Espagne, Buenaventura Durruti (1896-1936) est un ouvrier membre de la Confédération nationale du travail (CNT). Il défendra d'abord les ouvriers contre l'armée et les milices patronales, puis lors de la Guerre d'Espagne, il sera à la tête de la célèbre Colonne Durruti sur le front d'Aragon. Lui et ses soldats firent *« la guerre en même temps que la révolution »*, au sein d'une armée sans hiérarchie militaire et pratiquant l'autodiscipline : suppression du salut, égalité des soldes, liberté de presse (pour les journaux du front), liberté de discussion et conseils de bataillons sont implantés dans cette armée libertaire. Durruti meurt le 10 novembre 1936 d'une mystérieuse balle perdue qui l'avait atteint à Madrid, le jour précédent. L'hypothèse d'un meurtre perpétré ou commandé par le Parti Communiste n'a jamais pu être infirmée.

En Russie, finalement, Léon Tolstoï (1828-1910) développe un anarchisme religieux qui eut en son temps un retentissement considérable. Le concept d'anarchisme religieux peut étonner, mais il faut rappeler que s'il refuse tout recours à la violence, Tolstoï n'en a pas moins été fortement marqué par l'anarchisme et tout particulièrement par Proudhon qu'il rencontre en 1862 et auquel il empruntera le titre d'un ouvrage : *La Guerre et la Paix*, mais aussi par Kropotkine, qu'il estime et avec lequel il entretiendra une correspondance. Comme eux, et avec la même virulence, Tolstoï est antiétatiste : « *Tout gouvernement,* écrit-il, *est une institution malsaine, sanctifiée par la coutume et la tradition pour accomplir par la force et en toute impunité les crimes les plus révoltants* » ; comme eux, il envisage un ordre social libertaire qu'il se refuse à définir trop précisément. Mais il pense pour sa part qu'une telle organisation sociale sera le produit d'une transformation morale plutôt que d'une révolution politique. Selon lui, une telle organisation sociale réalisera précisément ce que porte et signifie le christianisme réel et bien compris : le règne de l'amour des chrétiens et la société sans État des anarchistes tendraient dans cette perspective vers le même point focal. Au cœur de ce programme et de cette révolution morale, Tolstoï place la non-violence et le refus d'obéir et de collaborer avec le pouvoir. Gandhi sera le plus célèbre des disciples de Tolstoï, qui inspirera aussi des pacifistes et des groupements plus spécifiquement religieux.

Le type de rapprochement entre les idéaux chrétiens (ou les idéaux religieux en général) et ceux de l'anarchisme auquel Tolstoï nous convie a été parfois réaffirmé depuis et on peut certes lui trouver des justifications. André Malraux qui n'en doutait pas, a pu écrire : « *Le Christ? Un anarchiste. Le seul qui ait réussi.* »

Noam Chomsky (1928)

Noam Chomsky est le plus connu des anarchistes contemporains ; il est aussi un des plus célèbres intellectuels vivants. Il poursuit, depuis plus de quarante ans, une œuvre en deux volets : linguistique, d'abord, discipline qu'il a grandement rénovée et instituée scientifiquement ; critique et activisme politiques, ensuite - et sur ce terrain il s'inscrit dans la tradition anarchiste, qu'il prolonge et rénove également. Il faut préciser d'emblée que Chomsky a constamment souligné l'indépendance de ces deux volets de son œuvre, rappelant qu'on ne peut tisser entre eux que des liens ténus : il serait aussi erroné de penser que sa linguistique puisse être anarchiste que de croire que son anarchisme ait pu être inspiré ou déduit de quelque manière de ses recherches sur le langage.

Noam Chomsky est né à Philadelphie en 1928. En 1957, il fait paraître *Syntactic Structures*, ouvrage majeur qui marque le début de ce qu'on appellera la « révolution chomskyienne » en linguistique. Le structuralisme et le behaviorisme sont alors dominants dans cette discipline : Chomsky leur oppose l'idée d'une grammaire générative qui repose sur l'hypothèse riche et féconde de l'innéité de l'aptitude au langage. Pour le dire en un mot : les enfants n'apprennent pas à parler, ils savent. Prenant note du savoir dont disposent les locuteurs, de leur créativité entendue notamment comme leur capacité à produire et à comprendre des énoncés nouveaux et inédits, la linguistique, telle que la conçoit Chomsky, met à jour les transformations qui lient la structure profonde et la structure superficielle des énoncés d'une langue donnée. Elle s'intéresse désormais à un nouvel objet : la compétence des locuteurs et s'avère une voie particulièrement riche et féconde pour étudier et comprendre l'esprit humain. Le simple rappel des divers programmes de recherches élaborés par Chomsky depuis les années cinquante déborderait largement le cadre de cet ouvrage.

Rappelons seulement que dès 1966, dans *Cartesian Linguistics*, il situait son travail dans la tradition cartésienne et rationaliste et en tirait de précieux enseignements épistémologiques. L'œuvre linguistique de Chomsky a exercé une influence tout à fait déterminante et s'étend bien au-delà de ce domaine pour atteindre la philosophie, la psychologie et plus généralement l'ensemble des sciences cognitives.

Mais Noam Chomsky, on l'a vu, est également connu pour ses interventions sur le terrain politique. Pendant son adolescence, il fréquente les milieux anarchistes de New-York et y reçoit une influence déterminante. Dans son cas, on peut même aller jusqu'à dire que c'est le dissident qui s'est fait linguiste accidentellement, plutôt que ce soit le linguiste qui soit devenu dissident. Quoi qu'il en soit, au cours des années soixante, Chomsky se fait d'abord remarquer par son opposition à la guerre du Vietnam et il poursuit, depuis, avec vigilance et virulence, une forte critique de la politique étrangère américaine. Cette critique a eu des échos et un impact importants et, depuis les années soixante, les interventions de Chomsky se sont multipliées et concernent à présent les principaux aspects de la culture et de l'idéologie.

Puisque j'ai déjà rappelé comment Chomsky conçoit l'anarchisme et son développement historique, venons-en immédiatement aux aspects principaux de son œuvre et de ses interventions. Selon Chomsky, qui s'inspire ici librement de Rudolf Rocker, le développement moderne du capitalisme voit l'ensemble des systèmes politiques, économiques et idéologiques progressivement envahis et pris en charge par ce qu'il appelle *« de vastes institutions de tyrannie privée »* dont les entreprises, les firmes transnationales, les banques, les systèmes monétaires et financiers fournissent aujourd'hui les modèles les plus achevés et les plus inquiétants. Construites de manière hiérarchique, elles échappent progressivement à tout contrôle démocratique et ces institutions sont nées selon Chomsky du même sol que le fascisme ou le bolchevisme, autres manifestations contemporaines du totalitarisme. Elles étendent partout leurs tentacules et se livrent à une propagande intense. Fidèle à l'idéal anarchiste, le travail de Chomsky consiste à repérer ces structures, à analyser leurs actions, à démontrer leur caractère illégitime et à inviter à les combattre. Son travail critique et extrêmement riche fait de Chomsky un des plus précieux et informés observateurs du monde contemporain. Des menées impérialistes des États-Unis aux ententes de libre-échange en passant par les corporations transnationales, les organismes comme le FMI ou la Banque mondiale, peu de dimensions de la vie politique et économique des quarante dernières années ont échappé à son regard critique.

L'importance du contrôle des esprits par des moyens non violents au sein des démocraties explique le fait que Chomsky se soit intéressé de très près au rôle que jouent les médias dans la construction des consentements dans les sociétés contemporaines. Examinant attentivement ces formes contemporaines de la propagande, il s'est efforcé de mettre à jour les mécanismes de contrôle de la pensée qui s'y exercent et de rappeler les possibilités de les contrer. Je reviendrai sur cet aspect de sa pensée (II, E).

ÉLECTIONS, PIÈGE À CONS!

Ô bon électeur, inexprimable imbécile, pauvre hère...
...rentre chez toi et fais la grève.
Octave Mirabeau

Bien qu'ils admettent que *« la pire des Républiques vaut mille fois mieux que la plus éclairée des monarchies »* (Bakounine), les anarchistes pratiquent en général l'abstentionnisme et n'ont pas de mots trop forts pour caractériser le mensonge électoraliste des démocraties, même parlementaires, et ses mirages. Mais cette position est souvent bien mal comprise.

Voter, pour les anarchistes, c'est choisir son maître et reconnaître implicitement par là son droit d'exister en tant que tel. Voter, c'est encore sanctionner une des modalités privilégiées par laquelle se maintiennent les institutions et les structures de pouvoir. Voter, c'est aussi prendre part à cette mystification dégradante et moralement infâme qui conduit nécessairement au mensonge, à la fourberie, à la duperie et qui garantit aux électeurs qu'ils seront trahis et trompés. Voter, enfin et peut-être surtout, c'est accepter l'habitude de la délégation et de l'abdication de son pouvoir.

Mais cet abstentionnisme des anarchistes a aussi son versant positif et n'a, à vrai dire, de sens que par lui. C'est ainsi que dans leurs organisations et leurs institutions, les anarchistes s'efforcent de rendre possible la démocratie directe, seule valable à leurs yeux. C'est également pourquoi ils prônent inlassablement la pratique de l'action directe, c'est-à-dire de toutes ces formes d'action par lesquelles des gens, refusant de déléguer leur pouvoir, agissent par et pour eux-mêmes. Grève, boycott, occupation, sit-in, sabotage, refus de payer taxes et impôts, blocage de routes, en sont quelques exemples. La pratique de l'action directe est en fait, selon le mot d'Emma Goldman, *« la méthode privilégiée, logique et consistante de l'anarchisme »*.

Malatesta et quelques autres ont soutenu que cet abstentionnisme ne pouvait souffrir aucune exception ; bien des anarchistes ont cependant soutenu le contraire. Renaud Séchan affirme ainsi joliment que s'il est vrai que voter c'est choisir son maître, il est des cas où l'esclave s'appelle Spartacus...

C- Faits et lieux

L'anarchisme ne saurait être défini par la seule référence à quelques théoriciens. Sa substance se découvre aussi à travers son histoire, qui est celle des soulèvements, des luttes, des révoltes et des révolutions auxquels des anarchistes prennent part mais qui sont d'abord le fait de milliers et de milliers de personnes. Plusieurs moments forts ponctuent ce parcours tout au long duquel l'anarchisme se précise, se corrige, s'affine ; c'est cette histoire que je voudrais à présent retracer brièvement, en rappelant quelques-uns de ses principaux moments.

Le choix qui suit est très restreint ; il ne concerne pour l'essentiel que des événements survenus en Europe ou en Amérique et exclut donc de nombreuses manifestations anarchistes survenues sur d'autres continents. De plus, il fait porter l'attention sur des événements qui ont eu un certain retentissement historique. Or, il faut bien rappeler que l'action directe, l'entraide, la solidarité, la lutte contre l'autorité et pour la liberté et l'égalité se manifestent partout et toujours et qu'il ne faut pas chercher longtemps, sous la carapace de l'État et de toutes les formes d'autorité, pour les découvrir.

L'Association internationale des travailleurs (1864-1876) et la Commune de Paris (1871)

Au milieu du XIXe siècle s'amorce un important mouvement d'organisation ouvrière. Ce mouvement sera multiple, divers et il comprendra plusieurs tendances et factions, parfois opposées les unes aux autres. Dans le contexte de l'industrialisation accélérée du XIXe siècle, le déclin des anciennes corporations de compagnons comme de celui des confréries de maîtres, a d'abord conduit au luddisme, mouvement d'ouvriers détruisant les machines tenues pour responsables de leurs malheurs. Cet épisode a été correctement décrit par Marx qui remarquait qu'il faut « *du temps et de l'expérience avant que les ouvriers, ayant appris à distinguer entre la machine et son emploi capitaliste, dirigent leurs attaques non contre le matériel de production mais contre son mode social d'exploitation* ». C'est précisément cette distinction qui est faite au milieu du XIXe siècle et l'Association internationale des travailleurs, dite Première Internationale, marque un moment important dans l'histoire du mouvement ouvrier. Elle est née à Londres, le 28 septembre 1864. On y trouve bien sûr Marx, ses idées et ses disciples : Marx avait d'ailleurs mis sur pied, deux décennies auparavant, cette Ligue des communistes dont le *Manifeste du Parti communiste* (1848) constituait le programme ; mais on y trouve également, et en grand nombre, des proudhoniens. En fait, les statuts de l'Internationale, adoptés au congrès de Genève en 1866, sont en grande partie dus à un ouvrier parisien disciple de Proudhon, Henri-Louis Tolain (1828-1897). Ce texte s'ouvre sur une déclaration d'inspiration libertaire, rappelant notamment que « *l'émancipation des travailleurs doit être l'œuvre des travailleurs eux-mêmes* » et que « *les efforts des travailleurs pour conquérir leur émancipation ne doivent pas tendre à constituer de nouveaux privilèges, mais à établir pour tous les mêmes droits et les mêmes devoirs* ». L'influence des proudhoniens au sein de l'Internationale ira pourtant en s'amenuisant, jusqu'au Congrès de Bruxelles (1868), où la tendance représentée par Marx l'emporte. Le débat qui oppose ces deux tendances porte principalement sur la question de la propriété et les proudhoniens ne réussissent pas à faire admettre leur distinction entre propriété et possession, que Tolain expose ainsi : «*... l'homme a le droit de s'approprier la totalité de son produit et transformer tous les contrats de location en contrats de vente : alors la propriété étant constamment en circulation, cesse d'être abusive par ce fait même : par conséquence, dans l'agriculture comme dans l'industrie, tous les travailleurs se grouperont comme et quand ils le jugeront convenable, sous la* *garantie d'un contrat librement conclu, sauvegardant la liberté des individus et des groupes* ». C'est la thèse opposée, défendue par Marx, qui l'emporte en 1868, faisant adopter par l'Internationale la nécessité de la collectivisation.

Mais une deuxième vague d'opposition anarchiste se fait aussitôt jour, menée cette fois par des anarchistes collectivistes. Le débat porte désormais sur le mode d'organisation tant de l'Internationale que de la société future et sur les moyens à utiliser pour y parvenir. Les anarchistes - James Guillaume et César de Paepe, en particulier - souhaitent une organisation fédéraliste, un regroupement « *libre de libres associations* »; ils s'opposent à la centralisation et, plus encore, à l'autoritarisme qu'ils perçoivent chez leurs adversaires. On parlera bientôt couramment de deux factions au sein de l'Internationale : les communistes antiautoritaires d'une part et les communistes autoritaires de l'autre. Ceux-ci sont menés par Marx alors que les premiers se regroupent autour de Bakounine, qui rejoint l'Internationale en 1868.

Le conflit qui oppose les deux hommes est épique. C'est, selon le mot d'Henri Arvon, non seulement une lutte entre deux doctrines mais aussi entre deux tempéraments. Si on met de côté les anecdotes et les péripéties en même temps que les personnalités des protagonistes, leur débat tourne bel et bien autour de la notion d'autorité. En 1872, au Congrès de La Haye, Marx fait exclure Bakounine de l'Internationale. On décide du transfert de l'organisation aux États-Unis, mais elle est alors moribonde et se dissout en 1876. Dans un article publié en octobre 1872 dans *La Liberté* de Bruxelles, Bakounine revient sur son conflit avec Marx et les autoritaires. Ayant déjà cité sa remarquable prédiction concernant l'inévitable avènement d'une bureaucratie rouge au lendemain d'une révolution autoritaire instaurant une « *dictature du prolétariat* », je reproduis ici un extrait de ce texte dans lequel Bakounine expose les raisons de son opposition aux autoritaires et fournit, en somme, l'argumentaire qui fondait sa prédiction. « *Un État, un gouvernement, une dictature universelle! Le rêve de Grégoire VII, de Boniface VIII, de Charles-Quint et de Napoléon, se reproduisant sous des formes nouvelles mais avec la même prétention dans le camp de la démocratie socialiste!* [...] *Les marxiens* [...] *sont les adorateurs du pouvoir de l'État* [...] *les champions de l'ordre établi de haut en bas, toujours au nom du suffrage universel et de la souveraineté des masses, auxquelles on réserve le bonheur et l'honneur d'obéir à des chefs, à des maîtres élus* [...] *ils n'admettent point d'autre émancipation que celle qu'ils attendent de leur État soi-disant populaire.* [...] *Marx ose rêver l'assujettissement du prolétariat de tous les pays à une pensée unique, éclose dans son propre cerveau.* »

Notons encore que des idées semblables avaient été avancées auparavant par Proudhon qui avait lui aussi vertement dénoncé « *l'étatisme aggravé* » des communistes, le « *despotisme* » sur lequel il débouche et rappelé que la révolution n'est l'œuvre de personne et qu'elle n'arrive surtout pas « *au commandement d'un maître ayant sa théorie toute faite ou sous la dictée d'un révélateur* ».

L'année précédente, la Commune de Paris (1871) avait été l'occasion, pour ces deux visions et ces deux conceptions du politique, de la révolution et, plus spécifiquement encore, du rôle de l'État, d'être mise à l'épreuve des faits. Bakounine voit dans cette révolte spontanée établissant une commune libre cherchant à promouvoir le fédéralisme et prônant des rapports contractuels « *la première manifestation éclatante et pratique* » de l'anarchisme. Son échec avait été en quelque sorte annoncé par avance par Proudhon qui faisait remarquer : « *Que Paris fasse dans l'enceinte de ses murs des révolutions, à quoi bon! Si Lyon, Marseille, Toulouse, Bordeaux, Nantes, Rouen, Lille, Strasbourg, Dijon, etc., si les départements maîtres d'eux-mêmes ne suivent pas, Paris en sera pour ses frais* ».

Néanmoins, pour les anarchistes, l'échec de la Commune, contient de riches et précieux enseignements. La Commune, maintiennent-ils, n'a pas été assez loin dans le sens de la décentralisation ; elle n'a pas mené à terme le processus de destruction de l'État en son sein ; elle n'a pas poussé jusqu'à l'autogestion les réformes entreprises sur le plan économique ; elle n'a pas achevé son mouvement vers une authentique et complète démocratie participative ; elle n'a pas, enfin, complété par une révolution sociale les révolutions politiques et économiques. Kropotkine écrira en ce sens que les communards ont essayé de consolider la Commune d'abord, en remettant à plus tard la révolution sociale, alors que *« la seule voie possible était de consolider la Commune par la révolution sociale. »*

Il est tout à fait remarquable que Marx tire d'abord des enseignements libertaires de la Commune, finalement très proches de ceux de Bakounine (*La Guerre civile en France*, 1871). Par la suite, il adoptera la position que les communistes défendront sans cesse, posant la nécessité d'un État révolutionnaire, de la dictature du prolétariat, de l'importance du Parti et ainsi de suite.

En 1872, à Saint-Imier, les anarchistes ont constitué leur propre Fédération internationale. Elle réunit notamment les fédérations espagnole, italienne et jurassienne. En Espagne, l'anarchisme sera bientôt particulièrement vivant, présent et actif et cette vivacité annoncera celle de la Confédération nationale du travail qui sera fondée au début du siècle suivant et dont nous reparlerons à propos de la Guerre civile espagnole. La fédération italienne, très influencée par les idées de Bakounine, est elle aussi active et importante, tandis que la fédération jurassienne est partagée entre disciples de Proudhon et de Bakounine. À partir de 1880, le mouvement anarchiste adopte toutefois de plus en plus unanimement les positions de Kropotkine et son anarcho-communisme. Les anarchistes consacrent alors bien des débats et bien des analyses à la description de cette société qu'ils envisagent et s'efforcent de convaincre qu'elle est désirable et de faire la preuve qu'elle n'est aucunement utopique.

En 1877 les événements de Bénévent auxquels Malatesta prend part inaugurent cette pratique de la « *propagande par le fait* » que Kropotkine présente ainsi dans un article paru dans *Le Révolté* (25 avril 1880) : « *La révolte permanente par la parole, par l'écrit, par le poignard, le fusil, la dynamite* [...] *tout est bon pour nous qui n'est pas la légalité.* » Il s'agit d'une sombre et indélébile tache sur l'histoire de l'anarchisme. Cette pratique culminera en France entre 1892 et 1894 avant de se répandre ensuite dans divers pays mais toujours avec les mêmes résultats désastreux. On en trouve la source dans la rencontre, en 1869, de Bakounine et d'un jeune nihiliste russe, Serge Nietchaïev, qui vient chercher caution et légitimité auprès du célèbre révolutionnaire. Progressivement isolés des mouvements ouvriers et notamment de la Première Internationale, les anarchistes adoptent, par dépit, au congrès de Berne (1876) d'abord puis de nouveau à celui de Saint-Imier (1877) le mot d'ordre immoraliste de la « *propagande par le fait* » supposé remplacer la propagande orale ou écrite désormais jugée inefficace. Le « *virus aventuriste et chimérique* » (Daniel Guérin) est ainsi introduit dans le mouvement. La propagande par le fait prend la forme d'attentats le plus souvent dirigés contre des personnalités politiques en vue et dont on attend qu'ils vont « *frapper par la terreur l'imagination des foules* » et, partant, « *tirer les masses de leur apathie* » (Henri Arvon). L'objectif ne sera jamais atteint par ces moyens, ainsi qu'en conviendra bientôt Kropotkine : « *Un édifice fondé sur des siècles d'histoire ne se détruit pas avec quelques kilos d'explosifs* ». Mais cet épisode aura aussi conduit à d'étranges phénomènes, dont le moindre n'est pas d'avoir mené une part substantielle de la société ainsi que des artistes ou des intellectuels par ailleurs respectables, à faire des héros ou des martyrs de vulgaires meurtriers ou de criminels de droit commun.

L'assassinat du président français Sadi Carnot en 1894 entraîne la promulgation de lois réprimant le délit de presse.

Elle furent baptisées pour cela « lois scélérates » par ceux qui y virent, avec raison, une atteinte grave à la liberté de la presse. Ces lois mirent un terme, en France, à l'épisode de la propagande par le fait. Mais dans plusieurs autres pays, des révolutionnaires continuèrent à y avoir recours, sans plus de succès, assassinant tour à tour des personnalités politiques au nombre desquelles figurent : Élisabeth (princesse d'Autriche, 1898), Humbert I (roi d'Italie, 1900) et William McKinley (président des États-Unis, 1901).

Le prochain événement marquant de l'histoire de l'anarchisme devait d'ailleurs se dérouler dans ce dernier pays et plus précisément à Chicago.

Le massacre du Haymarket (1886)

L'origine et la signification libertaires du premier mai sont désormais tombées dans l'oubli. Car le premier mai, c'est bien un événement majeur de l'histoire du mouvement ouvrier, mais plus particulièrement de l'anarchisme que nous commémorons - désormais sans en connaître l'origine.

Remontons le temps.

Nous sommes en 1886, à Chicago. Dans cette ville, comme dans tout le pays, le mouvement ouvrier est particulièrement riche, vivant, actif. À Chicago, comme dans bien d'autres municipalités, les anarchistes sont solidement implantés. Des quotidiens libertaires paraissent même dans les différentes langues des communautés immigrées. Le plus célèbre des quotidiens anarchistes de Chicago, le *Arbeiter-Zeitung,* tire en 1886 à plus de 25 000 exemplaires. Cette année-là, le mouvement ouvrier combat pour la journée de huit heures. Les anarchistes y sont engagés, mais avec leur habituelle lucidité : la journée de huit heures pour aujourd'hui, certes, mais sans perdre de vue que le véritable objectif à atteindre est l'abolition du salariat. Le mot d'ordre de grève générale du premier mai 1886 est abondamment suivi, et tout particulièrement à Chicago.

Ce jour-là, August Spies, un militant anarchiste bien connu de la Ville des Vents, est un des derniers à prendre la parole devant l'imposante foule des manifestants. Au moment où ceux-ci se dispersent, la démonstration, jusque là calme et pacifique, tourne au drame : 200 policiers font irruption et chargent les ouvriers. Il y aura un mort et des dizaines de blessés. Spies file au *Arbeiter-Zeitung* et rédige un appel à un rassemblement de protestation contre la violence policière. Elle se tient le 4 mai, au Haymarket Square de Chicago.

Cette fois encore, tout se déroule d'abord dans le calme. Spies prend la parole, ainsi que deux autres anarchistes, Albert Parsons et Samuel Fielden. Le maire de Chicago, Carter Harrison, assiste à la manifestation et, alors qu'elle s'achève, il est convaincu que rien ne va se passer. Il en avise donc le chef de police, l'inspecteur John Bonfield, et lui demande de renvoyer chez eux les policiers postés à proximité. Il est dix heures du soir. Il pleut abondamment. Fielden a terminé son discours, le dernier à l'ordre du jour. Les manifestants se dispersent, il n'en reste plus que quelques centaines dans le Haymarket Square. Soudain, cent quatre-vingts policiers surgissent et foncent vers la foule. Fielden proteste. Puis, venue d'on ne sait où, une bombe est lancée sur les policiers. Elle fait un mort et des dizaines de blessés. Les policiers ouvrent le feu sur la foule, tuant on ne saura jamais combien de personnes. Une chasse aux sorcières est lancée dans toute la ville. Les autorités sont furieuses. Il faut des coupables. Sept anarchistes sont arrêtés. Ce sont : August Spies, Samuel Fielden, Adolph Fischer, George Engel, Michael Schwab, Louis Lingg et Oscar Neebe. Un huitième nom s'ajoute quand Albert Parsons se livre à la police, persuadé qu'on ne pourra le condamner à quoi que ce soit puisqu'il est innocent, comme les autres. En fait, seuls trois des huit suspects étaient présents au Haymarket Square le soir de ce 4 mai fatal.

Le procès des huit s'ouvre le 21 juin 1886 à la cour criminelle de Cooke County. On ne peut et on ne pourra prouver qu'aucun d'entre eux ait lancé la bombe, ait eu des relations avec le responsable de cet acte ou l'ait même approuvé. D'emblée, une évidence s'impose pour tous : ce procès est moins celui de ces hommes-là que celui du mouvement ouvrier en général et de l'anarchisme en particulier. La sélection du jury tourne à la farce et finit par réunir des gens qui ont en commun leur haine des anarchistes. Y siège même un parent du policier tué. Le juge Gary ne s'y est pas plus trompé que le procureur Julius Grinnel qui déclare, dans ses instructions au Jury : « *Il n'y a qu'un pas de la République à l'anarchie. C'est la loi qui subit ici son procès en même temps que l'anarchisme. Ces huit hommes ont été choisis parce qu'ils sont des meneurs. Ils ne sont pas plus coupables que les milliers de personnes qui les suivent. Messieurs du Jury : condamnez ces hommes, faites d'eux un exemple, faites les pendre et vous sauverez nos institutions et notre société. C'est vous qui déciderez si nous allons faire ce pas vers l'anarchie, ou non.* »

Le 19 août, tous sont condamnés à mort, à l'exception d'Oscar Neebe qui écope de quinze ans de prison. Le procès a été à ce point ubuesque qu'un vaste mouvement de protestation internationale se déclenche. Il réussit à faire commuer en prison à vie les condamnations à mort de Michael Schwab et de Samuel Fielden. Lingg, pour sa part, se pend dans sa cellule. Le 11 novembre 1887 Parsons, Engel, Spies et Fischer sont pendus. Ce sont eux que l'Histoire évoque en parlant des martyrs du Haymarket. Plus de un demi-million de personnes se pressent à leurs funérailles. C'est pour ne pas oublier cette histoire qu'il sera convenu de faire du premier mai un jour de commémoration. Neebe, Schwab et Fielden seront libérés officiellement le 26 juin 1893, leur innocence étant reconnue ainsi que le fait qu'ils ont été les victimes d'une campagne d'hystérie et d'un procès biaisé et partial. Ce qui reste clair cependant, ce sont les intentions de ceux qui condamnèrent les martyrs de Chicago : briser le mouvement ouvrier et tuer le mouvement anarchiste aux États-Unis. Le jour même où avait été annoncée la condamnation à mort des quatre anarchistes, on avait communiqué aux ouvriers des abattoirs de Chicago qu'à partir du lundi suivant, ils devraient à nouveau travailler dix heures par jour.

Reste une question, irrésolue jusqu'à ce jour : qui a lancé cette bombe? De nombreuses hypothèses ont été avancées, à commencer par celle accusant un policier travaillant pour Bonfield...

À partir des années 1890, les anarchistes, ayant abandonné progressivement la propagande par le fait, s'en remettent à d'autres moyens soit l'éducation (II, B), les journaux, la coopération puis, finalement, le syndicalisme, expérience riche et importante dont je reparlerai (II, A). L'inspiration anarchiste est enfin décelable dans divers mouvements de gauche et en particulier dans la Ligue spartakiste de Rosa Luxemburg, en Allemagne, ou dans ces conseils ouvriers que prône Anton Pannekoek.

Quand prennent place les occupations d'usines de la Semaine rouge en Italie, on peut croire un court moment qu'une révolution anarchiste va éclater. Mais cet espoir est vite déçu. Survient alors la Première Guerre mondiale. Le *Manifeste des Seize*, dont il a déjà été question, provoque une scission et d'âpres débats au sein du mouvement. Avec le recul, on ne peut que savoir gré à des militants d'avoir résisté à la tentation belliciste et à la sottise patriotique et d'y avoir opposé le pacifisme et l'internationalisme que les anarchistes avaient toujours défendus. Parmi ceux-ci, citons ici les noms de Sébastien Faure et de Louis Lecoin, alors emprisonné. La lettre que Lecoin fait parvenir de prison au gouverneur militaire de la ville de Paris, le 12 septembre 1918, est bien connue. On y lit : *« Je pense fermement qu'un homme peut et doit se refuser à en assassiner un autre. La guerre fomentée par le capitalisme mondial est le pire des for-*

faits. Je proteste contre lui en ne répondant pas à l'ordre de mobilisation. En n'obéissant pas aux injonctions de la soldatesque, en refusant de me laisser militariser, j'agis conformément à mon idéal anarchiste. »

Avec la Révolution russe, un nouveau défi, immense, se présentait aux anarchistes.

La Révolution russe (1917-1921)

On croit volontiers tout savoir de la Révolution russe, événement majeur et à ce titre abondamment étudié du XXe siècle. La connaissance du rôle et de la place des anarchistes dans cet événement jette pourtant sur lui un éclairage inattendu et laisse entrevoir ce que Voline (1882-1945) appelait la « *révolution inconnue* ». Celle-ci a été presque totalement occultée par l'histoire officielle, à commencer par celle rédigée par les communistes.

La révolution qui a lieu en Russie en octobre 1917 trouve sa source dans les révoltes populaires de 1905 et tout particulièrement dans ces Conseils ouvriers - appelés Soviets - qui y virent le jour. Trotsky ne s'y est pas trompé : « *L'activité du Soviet signifiait l'organisation de l'anarchie* ».

Les événements d'octobre sont également préparés par la révolution de février 1917, qui met à bas le tsarisme et met en place un pouvoir chancelant et divisé. Rentré d'exil, Lénine présente alors ses *Thèses d'avril*. Il se prononce contre la poursuite de la guerre mais il lance aussi, avec cet opportunisme qu'il ne cessera de pratiquer, le slogan : « *Tout le pouvoir aux Soviets.* » À cause de son radicalisme, cette idée est mal reçue dans le Parti bolchevik. Mais elle était nécessaire : dès les débuts de ce qui devait conduire à la Révolution d'octobre, le peuple russe a renoué avec cette pratique de fonder des Soviets apprise en 1905. Ceux-ci sont partout et les Bolcheviks doivent donc absolument composer avec eux. Comme le reconnaissent aujourd'hui la plupart des historiens, la prise du pouvoir par les bolcheviks, le 25 octobre 1917, est essentiellement un coup d'État perpétré par un groupuscule minoritaire et sans réel appui populaire. La clé de son succès tient à ce qu'il a su habilement manœuvrer dans un contexte de grands désordres sociaux qu'aggravait encore la guerre et faire des promesses allant dans le sens des aspirations de la majorité. En d'autres termes, les Bolcheviks furent opportunistes et réussirent à confisquer à leur profit un vaste mouvement populaire autonome. Cet opportunisme ne tardera pas à se manifester dans leur politique.

Début 1918, une paix séparée est conclue avec l'Allemagne et l'Autriche. Les mesures adoptées alors vont dans le sens des aspirations de la majorité. Lénine les présente même comme permettant *« aux idées anarchistes »* de revêtir *« des formes vivantes »*. Les Bolcheviks reconnaissent la propriété de la terre aux paysans, des usines aux ouvriers, nationalisent commerces et banques et lancent sans cesse le slogan : *« Tout le pouvoir aux Soviets. »* Convaincus, des anarchistes russes appuient ce gouvernement qui semble représenter la meilleure chance de victoire de la révolution ; certains se décident même à prendre le risque d'y participer.

Mais bien vite - en fait aussitôt que ces concessions leur auront permis d'obtenir le contrôle de la révolution - les Bolcheviks renouent avec leurs théories et leurs pratiques autoritaires. La guerre, ne l'oublions pas, se poursuit, aggravée en Russie par une intervention étrangère : l'économie et la société civile sont mal en point et désorganisées. Saisissant ce prétexte, les Bolcheviks en profitent pour interdire tous les autres partis et instituer la *« dictature du prolétariat »*. Les arrestations arbitraires et les mises à mort commencent et les anarchistes sont parmi les premiers visés. Au printemps 1918, c'en est fini des Soviets, systématiquement éliminés par les Bolcheviks, en quelques mois à peine, comme d'ailleurs les syndicats et bientôt toutes les formes libres d'organisation populaire. Les déclarations des leaders bolcheviks ne laissent aucun doute sur leurs intentions. Lénine, par exemple, explique qu'une économie industrielle de grande échelle suppose à ses yeux une « *absolue et stricte unité de la volonté* » laquelle ne peut être assurée que par la soumission complète de la « *multitude à une volonté unique* ». Il poursuit : « *Toute l'autorité, dans une usine, doit donc être concentrée entre les mains de la direction et, cela étant, toute intervention directe des syndicats dans la gestion des entreprises doit être regardée comme positivement nuisible et inadmissible* ». Le même précise encore : « *Un congrès de producteurs? Qu'est-ce que cela veut dire exactement? Il est difficile de trouver les mots qui conviennent pour décrire pareille folie. Je me demande sans cesse s'il ne s'agit pas d'une farce. Comment peut-on prendre au sérieux ces gens-là? Si la production est toujours nécessaire, la démocratie ne l'est pas* ».

Voline lui avait répondu par avance : « *L'incapacité des masses. Quel merveilleux outil pour les exploiteurs et pour les dominateurs passés, présents et à venir et tout particulièrement pour nos actuels aspirants esclavagistes, quelle que soit leur dénomination - nazisme, bolchevisme, fascisme, communisme. Incapacité des masses : voilà ce sur quoi les réactionnaires de toutes les couleurs sont parfaitement d'accord avec les communistes. Et cet accord est hautement significatif.* »

Entre 1918 et 1920, la guerre civile déchire le pays ; des millions de personnes meurent en 1921 de la famine et d'épidémies. Au Xe Congrès de 1921, la NEP (Nouvelle Politique Économique) est adoptée en même temps que l'existence de tendances au sein du parti est interdite et son épuration décidée. La révolution est terminée, l'épisode socialiste définitivement clos. Dès 1922, l'espace impérial russe est reconstitué sous le nom d'URSS, une nouvelle monnaie est créée et le pays s'ouvre aux capitaux étrangers. Cette même année, Lénine crée pour Staline le poste de secrétaire général du Parti.

Deux autres moments auront marqué l'écrasement des idéaux libertaires et la dérive totalitaire et autoritariste du régime soviétique : l'écrasement de la *makhnovstchina* en Ukraine, entre 1919 et 1921 et celui de la rébellion de Cronstadt, en mars 1921.

La *makhnovstchina* doit son nom à un jeune paysan anarchiste ukrainien, Nestor Makhno (1899-1935). En 1917, Makhno sort de la prison où il a croupi pendant de longues années et reçu la seule éducation qu'il aura jamais. Il mènera d'abord une guérilla contre les armées d'occupation allemande et autrichienne. Il y démontra de remarquables talents de tacticien et son armée, préfigurant par son organisation interne la colonne Durruti, s'y montra particulièrement efficace. Dans le même temps, Makhno et ses troupes encouragent et rendent possible l'instauration, pour la toute première fois à cette échelle, d'une authentique société libertaire. Daniel Guérin cite cette affiche que placardent les makhnovistes dans les localités où ils pénètrent : « *La liberté des paysans et des ouvriers n'appartient qu'à eux-mêmes et ne saurait souffrir aucune restriction. C'est aux paysans et aux ouvriers eux-mêmes d'agir, de s'organiser, de s'entendre.* [...] *Les makhnovistes ne peuvent que les aider, leur donnant tel ou tel avis ou conseil.*[...] *Mais ils ne peuvent ni ne veulent en aucun cas les gouverner* ».

L'armistice signée, Makhno combat ensuite l'armée blanche contre-révolutionnaire de Denikine, mais ses relations avec les Bolcheviks se gâtent très vite, notamment à partir du moment où il refuse de mettre son armée sous le commandement de Trotsky. Celui-ci liquide d'ailleurs la *makhnovstchina* au cours de longs mois de combat qui prennent fin en août 1921. Makhno, exilé, finit ses jours à Paris. Mais son histoire aura été consignée par écrit, par lui-même mais aussi par Voline et par Pierre Archinov et son expérience de combattant sera recueillie par Durruti.

Le souvenir de Makhno et de la *makhnovstchina* demeure encore ajourd'hui très vif en Ukraine.

L'épisode de Cronstadt reste quant à lui un autre puissant symbole de l'élimination physique des opposants pratiquée par les Bolcheviks et de leur confiscation de la révolte populaire.

Cronstadt est une base navale située sur une île, non loin de Pétrograd, dans le golfe de Finlande. Ses marins avaient déjà joué un rôle considérable dans les événements de 1905. Leur participation aux premiers moments de la Révolution d'octobre est également active, voire cruciale : ce sont très largement eux qui évitent le putsch contre-révolutionnaire fomenté par Korlinov (août 1917) et leur rôle dans la défense de Pétrograd a été de tout premier plan. Mais leur action est sans cesse motivée par la défense de la révolution et des Soviets : les Bolcheviks leur deviennent donc hostiles à mesure qu'ils cessent d'être obligés de feindre d'appuyer les Soviets. L'inévitable se produit quelques jours avant que ne s'ouvre le Xe Congrès du Parti communiste. Les marins de Cronstadt se révoltent et, dès le premier mars, ils réclament la mise en œuvre de toutes une série de mesures : élection de Soviets au suffrage universel et secret ; liberté de parole, de presse, de réunion, d'association et de création de syndicats libres ; libération des prisonniers politiques ; suppression des privilèges accordés au P.C. et dissolution de ses détachements armés ; libre disposition des terres pour les paysans et droit d'existence pour les petites manufactures ne pratiquant pas le salariat. Ces propositions sont évidemment inacceptables aux yeux des Bolcheviks et la riposte ne se fait pas attendre. Trotsky menace aussitôt les mutins de les *« canarder comme des perdreaux »*.

Le 7 mars 1921, les marins lancent un tract célèbre, sous le titre « *Que le monde sache!* » Ils y écrivent : *« Le sang des innocents retombera sur la tête des communistes, fous furieux enivrés par le pouvoir. »* Quelque temps auparavant Kropotkine avait posé le même diagnostic, dans des termes similaires : *« Lénine ne peut être comparé à aucune autre figure révolutionnaire de l'histoire. Les révolutionnaires avaient des idéaux. Lénine n'en a aucun. C'est un fou, un sacrificateur, désireux de brûler, de massacrer et de sacrifier. Ce qu'on appelle bien et ce qu'on appelle mal n'ont pour lui aucune signification. Il est prêt à trahir la Russie pour faire une expérience »*.

Le 18 mars, la révolte de Cronstadt se termine dans un effarant bain de sang. Emma Goldman écrira que cet événement a achevé de détruire chez elle comme chez bien des observateurs de tendance libertaire, *« les derniers vestiges du mythe bolchevique »*.

Le mot de Kropotkine est bien connu : la Révolution russe, assurait-il, nous a surtout enseigné *« comment ne pas faire la révolution »*, et on peut soutenir qu'elle a en tous points réalisé la prophétie de Bakounine sur l'émergence d'une bureaucratie rouge et d'une monstrueuse dictature.

Les anarchistes du monde entier avaient observé, d'abord avec enthousiasme, les événements qui se déroulaient en Russie. Puis, au fur et à mesure que les informations leur parvenaient sur ce qui s'y passait vraiment, cet enthousiasme s'était estompé jusqu'à céder la place à une condamnation complète du bolchevisme. Ils ne reviendront jamais sur ce diagnostic.

Les économies de marché aussi bien que les économies planifiées avaient, quoique pour des raisons fort différentes, tout intérêt à baptiser « socialisme » et « communisme » cette sanglante expérience. On sait qu'ils ne s'en privèrent pas.

Si la Première Guerre mondiale et la Révolution russe portent un coup très dur aux mouvements anarchistes, ses activités se poursuivent cependant. Des journaux et des revues continuent d'être publiés, des congrès de se tenir, des ouvrages d'être rédigés et le mouvement connaît même une certaine expansion en Amérique latine (en Argentine, tout particulièrement, mais aussi au Pérou et au Chili) de même qu'au Mexique et à Cuba. Des occupations d'usines vite étouffées ont même lieu en Italie, en août et septembre 1920. Leur échec est suivi de cette contre-révolution préventive, la terrible épreuve du fascisme.

Le véritable bastion de l'anarchisme, pendant les deux décennies qui suivent la fin de la Guerre, devient alors l'Espagne. C'est là que l'anarchisme connaîtra sa grande expérience historique et qu'il entrera en conflit avec les forces du fascisme, du capitalisme et du stalinisme réunies pour l'abattre.

La Guerre d'Espagne (1936-1939)

De nombreux écrits ont été consacrés à la Guerre d'Espagne et il faut bien convenir que, de tous côtés, une part substantielle de cette littérature relève souvent de la propagande et de la falsification. Toutefois, six décennies après la fin de ces terribles événements, on s'entend généralement sur les principaux éléments permettant de comprendre l'origine et le déroulement de cette guerre ainsi que sur la part prise par les anarchistes dans ce conflit.

Mais rappelons d'abord quelques faits indispensables à la compréhension des tenants et aboutissants de cette guerre.

En 1936, l'Espagne, qui subit toujours les dures conséquences de la crise économique de 1929, est un pays largement agraire qui a du mal à réaliser son passage à l'industrialisation. Le chômage touche 675 000 personnes sur une population de vingt-quatre millions d'habitants. C'est également un pays traversé par de nombreux et très profonds conflits politiques, idéologiques et économiques, un pays où une oligarchie côtoie une Église puissante et peut compter sur le soutien d'une armée importante qui a conservé son goût pour les *pronunciamientos*, c'est-à-dire les coups d'État militaires.

En contrepartie, on trouve aussi des mouvements ouvriers et populaires au sein desquels l'anarchisme occupe une place tout à fait prépondérante. En Espagne en effet, et contrairement à ce qui s'est passé ailleurs, où ont finalement prévalus les thèses et les partis autoritaristes ou réformistes, ce sont les idées et les pratiques de Bakounine et de l'anarcho-syndicalisme qui ont durablement imprégné le mouvement ouvrier.

L'expérience anarchiste de grande envergure dont la Guerre d'Espagne sera l'occasion avait donc été préparée de longue date. Rappelons simplement qu'en 1936 la CNT (Confédération nationale du travail - anarcho-syndicaliste) est la plus importante organisation syndicale d'Espagne. Elle compte près de un million et demi d'adhérents et l'âme de cette organisation, sa force motrice, est la Fédération anarchiste ibérique.

Des élections ont lieu le 18 février 1936 et une coalition de gauche (le *Frente Popular)* l'emporte. Trois facteurs ont pesé dans cette victoire. D'abord l'échec des réformes agraires entreprises par le précédent gouvernement ; ensuite, la promesse d'amnistie politique faite par la coalition de gauche ; enfin, et ce n'est pas le moindre facteur, l'appel à voter pour le *Frente Popular* lancé par les anarchistes qui ne participent toutefois pas, on le devine, à cette coalition gouvernementale. Au total, à cette date, l'Espagne est divisée en deux camps irréductiblement opposés et cette division cristallise les conflits évoqués plus haut : d'un côté, la gauche, qui réunit républicains, socialistes, communistes et anarchistes et de l'autre, la droite, qui réunit les oligarchies, les carlistes, les royalistes, les catholiques et la Phalange de José Antonio Primo de Rivera et qui est forte du soutien de l'armée qu'elle juge, avec raison, indéfectible.

Le Gouvernement commence à appliquer son programme dans un climat de troubles et de grandes tensions. Le 16 juin, le leader monarchiste Calvo Sotelo, prononce un célèbre discours : « *Contre cet État stérile, je propose l'État intégral. Beaucoup l'appelleront fasciste, mais si l'État fasciste c'est la fin des grèves, la fin du désordre, la fin des abus contre la pro-*

priété, alors je déclare avec fierté que je suis fasciste. Je déclare fou tout soldat qui devant l'éternité n'est pas prêt à se dresser contre l'anarchie si cela est nécessaire ».

La situation est devenue extraordinairement tendue quand Sotelo est assassiné, le 13 juillet. Sa mort déclenche, le 17 juillet à Melilla, le soulèvement militaire (*el alzamiento*) qui se préparait depuis des semaines. Franco quitte les Canaries et prend, du Maroc, le commandement des troupes. Dolores Ibarruri, la célèbre Passionaria, lance son vibrant appel à la défense de la République et le conclut par le mot resté fameux : *No pasaràn!* (Ils ne passeront pas!). La résistance des milices ouvrières est héroïque et, contre toute attente, le coup d'État n'obtient pas le succès escompté par les militaires. L'Espagne est bientôt coupée en deux zones. Madrid, comme Barcelone et Valence, restent aux mains des républicains qui contrôlent toute la côte méditerranéenne.

Pendant près de trois ans, deux zones, deux régimes, deux idéologies vont s'affronter dans des combats sanglants, des atrocités sont commises des deux côtés dans un contexte particulièrement difficile qui exacerbe les passions et favorise le recours à la justice sommaire. Les régimes fasciste d'Italie et nazi d'Allemagne apportent un substantiel soutien aux franquistes, tandis que les démocraties abandonnent l'Espagne en adoptant une honteuse neutralité. L'URSS stalinienne, quant à elle, apporte son appui aux républicains. Deux séries d'événements se produisent alors. D'une part la guerre civile, classique, opposant fascistes et républicains et de l'autre, en territoire républicain, une profonde révolution sociale anarchiste. C'est elle que je vais examiner ici.

La Guerre prend fin le 29 mars 1939. Elle aura duré trente-deux mois et fait un million de morts. Elle laisse un pays couvert de ruines.

Notons encore que 60 000 combattants volontaires sont venus se battre au sein des célèbres Brigades internationales et du POUM, organe trotskiste mais non reconnu par Trotski. Parmi eux, 1 200 volontaires canadiens formant le bataillon Mackenzie-Papineau de la XVe Brigade internationale.

Mais venons-en à présent à cette révolution sociale anarchiste, à ses réalisations les plus notables puis aux facteurs ayant conduit à sa destruction.

Tout avait été préparé de longue date dans les esprits et dans les pratiques, par des ouvrages, des quotidiens, des revues, des débats, des écoles et des expériences de toutes sortes. On avait ainsi abondamment et passionnément débattu de l'organisation des futures communes libres. Le mode de fonctionnement de la CNT, notamment dans ses *sindicatos unitos* (unions locales), permettait même d'en avoir une expérience directe. En fait, en mai 1936, réunis en congrès à Sargosse, les anarchistes avaient même adopté un ambitieux et généreux modèle de communes libertaires, explicitant le fonctionnement de leur démocratie directe, rappelant entre autres l'importance que revêtait à leurs yeux la culture de l'esprit et indiquant des moyens susceptibles de réaliser de telles communes. Notons encore l'influence non négligeable exercée par les idées de Diego Abad de Santillan, qui venait de faire paraître *Après la révolution*, véritable aggiornamento des positions anarchistes en économie.

Le début de la Guerre et l'insurrection armée populaire qui résiste au coup militaire présentent, pour les anarchistes espagnols, tous les caractères de cette révolution spontanée qu'ils espéraient. En zone républicaine, très vite, tout se passe largement à l'extérieur de la sphère d'influence de l'État, qui tend dès lors à devenir superflu. Les élites, qui prennent la fuite, laissent derrière elles des usines et des terres inoccupées, qui sont aussitôt collectivisées alors qu'ouvriers et paysans entreprennent de réaliser en pratique l'anarchisme et d'implanter son programme apolitique. Leur attitude face aux politiciens est précisément celle que décrit Daniel Guérin : Faites ce que vous voulez, nous nous emparons de l'économie, prélude et condition de l'asphyxie de l'État.

Les vastes, profondes mais aussi variées expériences autogestionnaires qui se déroulèrent alors et qu'accompagnèrent de spectaculaires transformations sociales constituent, comme le dit encore Guérin, *« ce que l'anarchisme espagnol a légué de plus positif »*. Selon le chiffre de Gaston Leval, huit millions de personnes y participent, directement ou indirectement. La collectivisation est agraire, bien sûr, mais aussi industrielle et, dans certaines régions, elle concerne bientôt tous les aspects de la vie collective. Sam Goldoff résume ainsi ce que lui ont appris ses travaux sur ces collectivités : elles se firent, dit-il, *« [...] sans propriétaires, sans patrons et sans mettre sur pied une compétition capitaliste pour stimuler la production. Dans la plupart des industries, usines, moulins, ateliers, services de transport, services publics, les ouvriers, leurs comités révolutionnaires et leurs syndicats réorganisèrent et administrèrent la production, la distribution et les services sans aucune administration de haut-salariés et en se passant de l'autorité de l'État. [...] Leurs efforts furent coordonnés par association libre dans de vastes régions et permirent un accroissement de la production (spécialement en agriculture), une augmentation du nombre des écoles et une amélioration des services publics. »*

Pierre Broué et Émile Témime ont écrit pour leur part, avec *La Révolution et la Guerre d'Espagne*, un ouvrage qui demeure, aux yeux des observateurs les mieux informés, une des meilleures sources sur la Guerre d'Espagne. La conclusion du chapitre qu'ils consacrent aux conquêtes révolutionnaires mérite d'être citée intégralement : *« [...] il faut, pour porter sur les réalisations révolutionnaires une appréciation équitable, ne pas négliger le poids terrible de la guerre. Car les conquêtes révolutionnaires des ouvriers espagnols ont eu, dans les premiers mois, des conséquences importantes et profondément significatives. Les principes nouveaux de gestion, la suppression des dividendes ont permis une baisse des prix effective ; celle-ci n'a, finalement, été annulée que par la hausse vertigineuse des matières premières, qu'une économie capitaliste n'aurait pas pu non plus éviter, dans des conditions semblables. La mécanisation et la rationalisation, introduites dans de nombreuses entreprises, réclamées dorénavant par les travailleurs eux-mêmes, ont augmenté de façon considérable la productivité. Les ouvriers ont consenti dans l'enthousiasme des sacrifices énormes parce qu'ils avaient, dans la plupart des cas, la conviction que l'usine leur appartenait et qu'ils travaillaient - enfin - pour eux-mêmes et leurs frères de classe. C'est véritablement un souffle nouveau qui est passé sur l'économie espagnole avec la concentration des entreprises éparpillées, la simplification des circuits commerciaux, tout un édifice considérable de réalisations sociales pour les vieux travailleurs, les enfants, les invalides, les malades et l'ensemble du personnel.*

La grande faiblesse des conquêtes révolutionnaires des travailleurs espagnols est, plus encore que leur improvisation, leur caractère inachevé. Car la révolution, à peine née, doit se défendre. C'est la guerre qui réduira, en miettes les conquêtes révolutionnaires avant qu'elles n'aient eu le temps de mûrir et de faire leurs preuves dans une expérience quotidienne faite de reculs et de progrès, de tâtonnements et de découvertes. »

Cette dernière remarque nous conduit à nous interroger sur les causes de cet échec des collectivisations et, plus largement, de la révolution anarchiste en Espagne. Ces causes sont complexes et leur examen attentif déborde largement le cadre de cet ouvrage. Notons cependant que si Broué et Témime ont à l'évidence raison de souligner que le fait de la guerre joue un grand rôle dans l'explication de cet échec, ce facteur n'est pas le seul. La révolution n'affronte pas seulement les forces de Franco, de Mussolini et de Hitler : privée de l'appui des démocraties, elle doit encore faire face à de profondes divisions internes qui déboucheront sur la reprise en mains du cours des événements par les communistes. Avant d'en arriver là, les anarchistes auront commis, aux yeux de plus d'un observateur, une erreur impardonnable et fatale : la participation au gouvernement. Ils le font avec la volonté de mettre au premier plan la lutte antifasciste plutôt que la révolution et parce qu'ils sont convaincus de la neutralité provisoire et circonstancielle de l'État. Partant de là, ils s'enlisent irrémédiablement et le pouvoir, auquel certains anarchistes participent, entreprendra d'éliminer la révolution sociale et les collectivités au fur et à mesure que l'appareil étatique est reconstruit. Notons un fait crucial : les réformistes, les communistes et la bourgeoisie républicaine trouveront un allié de taille en Staline. Les communistes, dès le début, ont en effet présenté les événements d'Espagne comme une simple affaire interne, sans grande portée. Des intérêts géopolitiques et idéologiques complexes ont joué ici. D'entrée de jeu, l'URSS nie le caractère révolutionnaire des événements et tient à rassurer ses alliés réels ou potentiels face à la menace italo-allemande.

Contre l'encaisse Or de la Banque d'Espagne, l'URSS a consenti une aide modeste qu'elle gère habilement, une aide qui facilite d'autant la reprise en mains des événements le moment venu. Dès la fin 1936, la presse soviétique ne fait pas mystère des objectifs de l'intervention de l'URSS en Espagne : y rétablir une démocratie républicaine pluraliste et mettre à raison les *« éléments incontrôlés »* de la CNT et les *« trotskistes du POUM »*.

Rappelons également que la défaite de la révolution en Espagne laissait l'URSS comme seule représentante d'une société socialiste et son modèle comme seule voie pour accéder au communisme.

Au printemps 1937, l'État républicain n'est même plus une démocratie et multiplie les mesures répressives.

En mai 1937, un affrontement sanglant oppose, à Barcelone, anarchistes et poumistes aux communistes. La répression exercée par les communistes commence quelques jours plus tard. C'est d'abord l'arrestation et la condamnation des dirigeants du POUM puis, pendant tout l'été 1937, une police parallèle, créée par les communistes soviétiques et espagnols arrête, torture et emprisonne les anarchistes par centaines, destitue leurs comités, ferme leurs locaux, pille les collectivités et rétablit l'État et la propriété privée. En août, le SIM (Service d'investigation militaire) est créé. Il dispose de prisons, de camps de concentration et de 6000 agents aux mains des staliniens. Le reste appartient à l'histoire...

En mai 1939, les fascistes espagnols, entourés des Chemises noires de Mussolini et des pilotes de la légion Condor d'Hitler (à laquelle on doit le terrible massacre de Guernica commémoré avec l'émotion que l'on sait par Picasso, dans la puissante toile du même nom) défilent à Madrid, (trois mois plus tard, ils seront à Varsovie). Ils passent devant Franco, qui se disait prêt, s'il le fallait, à fusiller la moitié des Espagnols pour en arriver là. La Seconde Guerre mondiale va bientôt éclater et les événements d'Espagne n'auront constitué, pour les principaux acteurs, qu'une répétition générale annonciatrice des horreurs qui vont déferler sur le monde.

Il n'est pas nécessaire d'être anarchiste pour que le souvenir de la Guerre d'Espagne demeure une plaie toujours vive. Il suffit d'être un ami de la liberté et de la démocratie.

L'échec de la révolution espagnole est terrible pour le mouvement anarchiste, qui, dès lors, cesse d'être un acteur de premier plan dans les luttes sociales. Le mouvement, son histoire, ses idées et ses réalisations perdurent toutefois. Des noyaux de militants et de penseurs libertaires les préservent, plusieurs s'y alimentent et s'en inspirent.

En 1968, malgré ceux qui l'avaient un peu rapidement rangé au rayon des vieilles idées politiques, l'anarchisme fait de nouveau son apparition.

LA « *REDOUTABLE RÉVOLTE DE MAI* » (1968)

Entre le 3 mai et le 16 juin 1968, une immense agitation s'empare de la plupart des grandes villes françaises. Cette effervescence trouve son origine dans le Mouvement du 22 mars, alors que Daniel Cohn-Bendit et 141 autres étudiants occupent la Faculté de lettres de Nanterre pour protester contre l'arrestation récente d'un des leurs à la suite d'une manifestation contre la Guerre du Vietnam. Notons également ici l'influence du groupe et de la revue libertaire *Noir et Rouge*. Le 3 mai, Georges Marchais dénonce « l'anarchiste allemand » dans *L'Humanité* (organe officiel du Parti communiste français) : Mai 68 est lancé.

Étudiants, puis professeurs, se mettent en grève. Des barricades sont levées et les manifestations se succèdent. Des occupations d'usines ont lieu et bientôt les syndicats prennent le train en marche, se joignent au mouvement et enclenchent la grève générale. Le 20 mai, le pays compte 7 millions de grévistes. Mais le mouvement s'épuise bientôt, dans une dynamique où le rôle de la gauche a largement consisté à canaliser puis dévoyer le mouvement : l'hostilité manifeste du Parti communiste aura ici joué un rôle prépondérant. Le 30 mai, une grande manifestation des gaullistes se déroule sur les Champs-Élysées et annonce le début de la fin de l'aventure de Mai 68.

L'inspiration libertaire du mouvement est incontestable. On en trouve une source importante ainsi que la théorie dans le mouvement situationniste dont Guy Debord (1931-1994) et Raoul Vaneigem (1934) sont les représentants les plus connus et les plus remarquables.

La revue *L'Internationale Situationniste* (I.S.) avait été fondée en 1957. Elle était l'organe de ce qui n'était encore qu'un mouvement artistique d'avant-garde, héritier du mouvement dada, du surréalisme et du lettrisme, voué à l'éclatement de la notion d'art et cherchant à mettre *« l'imagination au pouvoir »*. Mais par la fréquentation d'une part des idées du groupe *Socialisme ou Barbarie* (qui propose une sévère critique de la bureaucratie soviétique) et d'autre part des écrits d'Henri Lefebvre portant sur la vie quotidienne (*Critique de la vie quotidienne*, 1961), les membres de l'I.S.

redécouvrent bientôt l'idée d'un socialisme différent et en particulier l'idée du socialisme comme pouvoir des conseils ouvriers. Partant de là ils vont étendre leurs analyses bien au-delà de la sphère de la culture et de l'art. Hostile au Parti Communiste, au capitalisme d'État soviétique et à sa bureaucratie, autogestionnaire, l'I.S. produit dans les années soixante des écrits dont on aurait tort de ne retenir que ces slogans qu'elle va fournir ou inspirer et qui fleuriront sur les murs de France en mai 1968 : *L'imagination au pouvoir*, bien sûr, mais aussi : *L'économie est blessée : qu'elle crève* ; *Soyez réaliste : demandez l'impossible* ; *Vivre sans temps mort* et de nombreux autres. C'est que l'I.S. a été bien plus qu'un réservoir de slogans poético-littéraires pour mai 68 : elle en constitue à la fois l'inspiration et la théorie et cela particulièrement à travers un ouvrage remarquable de Debord.

Celui-ci avait fait paraître en 1967 *La Société du spectacle*, qu'il donne avec raison pour la *« seule théorie de la redoutable révolte de mai »*. Le « spectacle » rétrospectivement et comme rapport social est présenté par l'auteur comme la catégorie permettant de comprendre les modalités contemporaines de l'aliénation, de cerner le processus de mystification sociale en cours dans nos sociétés, lequel, par des images, des apparences, des fictions, n'a de cesse de nous contraindre à ne plus vivre qu'en représentation. Debord écrit : *« Toute la vie des sociétés dans lesquelles règnent les conditions modernes de production s'annonce comme une immense accumulation de spectacles. Tout ce qui était directement vécu s'est éloigné dans une représentation. »*

Cette analyse débouche sur une volonté de réappropriation de la quotidienneté, une volonté de transformer la perception du monde par une « dérive » spontanée et par la « fête ». Cette révolte, dont les situationnistes se perçoivent comme les catalyseurs, devait déboucher sur une société anarchiste, autogérée. C'est ce que sera en effet mai 68, avec cette fureur de vivre qui s'empare des gens, avec ses multiples formes de démocratie directe, avec son sens de la fête et sa prise de conscience, comme le dira Murray Bookchin de ce que « *les forces motrices de la révolution ne sont plus aujourd'hui à chercher dans la rareté ou le besoin économique mais dans l'exigence de la qualité de la vie quotidienne et la volonté de chacun de maîtriser son propre destin.* »

L'Internationale Situationniste s'est autodissoute en 1972, mais ses idées ont continué d'exercer une indéniable influence et de graviter dans la nébuleuse des idées libertaires.

Guy Debord s'est donné la mort en 1994. Raoul Vaneigem continue de publier et a fait récemment paraître un remarquable *Avertissement aux écoliers et aux lycéens*, aux tonalités nettement libertaires.

Arts, littérature, esthétique

« L'anarchisme a beau subir de cuisantes défaites sur le plan politique et social, il y a au moins un domaine où il ne cesse de remporter d'éclatantes victoires, c'est celui des arts et des lettres. »

H. Arvon

Existe-t-il un art, une littérature anarchistes? Existe-t-il une esthétique, c'est-à-dire une théorie de l'art, dont l'une et l'autre pourraient se réclamer? Certains le pensent et ont tenté d'en faire la démonstration. Cependant ils n'ont, à mes yeux, pas été très convaincants.

Ce qui n'est pas tellement étonnant si l'on songe à ceci qu'un art qui serait anarchiste perdrait par définition à peu près tout intérêt et cesserait d'être vivant et novateur à proportion de sa soumission aux diktats dans lesquels il se laisserait enfermer.

Bien des anarchistes se sont intéressé à l'art et ont écrit sur lui, à commencer par Proudhon et Kropotkine. Et si leurs écrits sur l'art sont peu connus (et à vrai dire peu intéressants) d'autres écrits libertaires sur l'art sont célèbres et conservent un certain intérêt - ceux de Tolstoï, par exemple (*Qu'est-ce que l'art?*). Pourtant rien de tout cela ne permet de cerner une esthétique qui serait spécifiquement anarchiste et qui exposerait des positions libertaires sur des problèmes comme la nature du Beau, la signification de l'art et toutes ces autres questions relevant de la théorie de l'art.

Ceci dit, il faut aussi convenir que des liens riches et féconds ont uni, avec une remarquable constance, le monde de l'art et de la littérature à celui des anarchistes. En fait, la simple énumération de tous ces écrivains, ces peintres et ces artistes qui ont été inspirés par l'anarchisme ou qui ont plus simplement été eux-mêmes des anarchistes occuperait tout l'espace que je peux consacrer ici à ce thème. De Shelley, Courbet, Pissaro, Ibsen et Signac, à Duchamp (qui se disait « anartiste »), Cage et aux surréalistes, la liste est imposante. Notons cependant que ces liens entre anarchisme et le monde de l'art ne furent jamais aussi nombreux et riches qu'à la fin du siècle dernier à travers le symbolisme et l'impressionnisme.

Cherchant des raisons expliquant l'abondance et la constance de ces liens, on peut penser que les créateurs ne sont pas insensibles à la place qui est faite, dans l'anarchisme, à la liberté, à l'individualité ainsi qu'à la révolte et à l'affranchissement des traditions. Le peintre Signac décrivait par exemple son travail comme *« un effort personnel de toute son individualité contre les conventions bourgeoises officielles »*. Par ailleurs, il est remarquable que leur amour passionnel de la liberté ait fait pressentir aux anarchistes le grand danger que fait courir à l'art authentique tout assujettissement politique. C'est ainsi qu'on ne trouve guère, dans l'anarchisme, de programme assignant à l'art une fonction de propagande et cherchant à l'astreindre à la défense et à la promotion d'un programme politique. Loin de tenter de régenter l'art, l'anarchisme a plutôt voulu que l'on porte le regard vers l'avenir et l'inconnu, vers l'acte créateur plutôt que sur le créateur, de la même manière qu'il s'est refusé à souscrire à ce réductionnisme économique et historique que l'esthétique marxiste pratiquera largement malgré le fait que Marx en avait lui aussi une bien piètre opinion.

Tous ces traits se retrouvent au Québec dans ce qui constitue une des premières références à l'anarchisme repérable dans l'histoire officielle. En 1948, Paul-Émile Borduas et ses amis font en effet paraître un manifeste célèbre intitulé *Refus global*. Il s'agit d'un texte majeur, non seulement de l'histoire de la littérature et de l'art au Québec, mais aussi de son histoire sociale et politique. L'inspiration libertaire y est manifeste et des références à l'anarchisme y sont aisément lisibles. Cette filiation est même revendiquée, dans ce passage qui clôt le *Refus global* : *« Au terme imaginable, nous entrevoyons l'homme libéré de ses chaînes inutiles, réaliser dans l'ordre imprévu, nécessaire de la spontanéité, dans l'anarchie resplendissante, la plénitude de ses dons individuels »*.

Positions

L'anarchisme défend, sur une grande variété de sujets, des positions qui tantôt lui sont propres et que tantôt il partage avec d'autres courants d'idées. C'est à ces positions que cette deuxième partie est consacrée.

Elle est divisée en neuf chapitres qui forment cinq blocs plus ou moins unifiés.

Le premier bloc concerne les positions défendues par l'anarchisme sur le plan de la production, entendue au sens le plus large du terme. Dès l'origine, les anarchistes vont en effet consacrer de longues études et analyses à l'économie, à la production et à la consommation des biens. Leur idéal était autogestionnaire et il demeure, aujourd'hui encore, celui de bien des activistes. L'exemple de l'économie participative nous le montre toujours capable de féconder la réflexion et d'inspirer l'action (chapitre A). L'anarcho-syndicalisme a été historiquement un des moyens privilégiés par les anarchistes pour promouvoir et faire advenir le type de société qu'ils ont préconisée et se porter à la défense des travailleurs (chapitre B). De nos jours, enfin, l'impératif écologique apparaît incontournable et c'est donc aussi à partir de lui que la réflexion des anarchistes a exploré de nouvelles façons d'organiser socialement la production (chapitre C).

Le deuxième bloc rappelle d'abord comment, soucieux de l'émancipation et de la liberté de chacun, l'anarchisme a d'emblée consacré une part significative de sa réflexion et de son activité à l'éducation, terrain sur lequel il a, aujourd'hui encore, bien des idées fortes et originales à proposer (chapitre D). L'importance des médias dans le façonnement des esprits au sein de nos démocraties est aujourd'hui telle qu'il était inévitable que la réflexion des anarchistes sur le système doctrinaire se prolonge en une analyse des médias et plus généralement des moyens de contrôle de l'opinion publique au premier rang desquels il faut noter les firmes de relations publiques (chapitre E).

Le troisième bloc porte sur les valeurs défendues par l'anarchisme. La morale anarchiste pointe vers une éthique et une méta-éthique anarchistes dont je m'efforce de cerner brièvement les contours (chapitre F).

Le quatrième bloc est consacré à l'anarcha-féminisme (chapitre G) et le cinquième et dernier bloc concerne l'anarcho-capitalisme. Ce sujet est chaudement débattu de nos jours, son actualité est grande, son importance indéniable. Cela justifie qu'un assez long passage lui soit consacré (chapitre H).

A - ÉCONOMIE

Si on souhaite caractériser brièvement la position anarchiste sur le plan de l'économie, on peut dire que, dès le XIXe siècle, il a été autogestionnaire et a refusé de toutes ses forces ce qu'il appelait l'esclavage salarial, qu'il s'est proposé d'abolir parce qu'intolérable à tous points de vue. En d'autres termes, l'anarchisme réclamait que les producteurs aient la maîtrise de leur activité. C'est en ce sens que Proudhon, par exemple, rappelle que la volonté des producteurs et des ouvriers d'organiser par et pour eux-mêmes la production constitue *« le fait révolutionnaire par excellence »*. Cette haute exigence est encore aujourd'hui celle des anarchistes, qui réclament donc en conformité avec l'ensemble des principes et des valeurs qui sont les leurs, que les individus disposent, sur le terrain de l'économie, de la même liberté et de la même égalité qu'ils revendiquent dans toutes les autres sphères d'activité humaine.

Mutualisme, fédéralisme, communisme, sont, on l'a vu, diverses formules que les anarchistes classiques ont développées pour atteindre cet idéal d'une économie juste. Plus généralement, et par-delà la diversité des modalités de la production et de la distribution de biens qui ont été envisagés, on retrouve sans cesse l'idéal que l'anarchisme appelle de ses vœux et qui consiste en des lieux de travail consentis, non-hiérarchiques et véritablement démocratiques, où l'on trouverait des gens œuvrant au sein d'un système de production où chacun a son mot à dire aussi bien sur ce qui est produit et consommé que sur les conditions de cette production et de cette consommation. Il va sans dire que la propriété privée des moyens de production et le salariat (l'esclavage salarial, comme le veut l'expression consacrée) sont perçus comme des calamités à abolir impérativement.

On devine à quel point de telles exigences, qui sont depuis l'origine du mouvement très profondément ancrées au cœur de l'anarchisme, rendent aiguës les contradictions qui l'opposent aujourd'hui au capitalisme et à l'économie de marché et qui l'opposèrent hier aux économies de planification centrale. Dans ce cas, les anarchistes récusèrent très vite l'autoritarisme de ces économies et déplorèrent leur inefficience, leur manque de démocratie et de liberté : de telles économies sont destinées à faire en sorte qu'apparaissent une classe de « coordonnateurs » aussi oppressive que possible, prophétisaient-ils, à la suite de Bakounine. Cette prédiction a été amplement confirmée par l'histoire.

Depuis la banqueroute de ces économies de planification centrale, l'économie de marché est présentée comme la seule voie d'avenir possible. La plupart des économistes adhèrent donc aujourd'hui à cette idée que seul le marché peut, de manière efficiente et humainement satisfaisante, coordonner les activités économiques. Les plus progressistes d'entre eux ne réclament guère plus qu'un peu d'intervention de l'État pour pallier aux trop criantes injustices et défauts qu'il engendre. À l'instar de Michael Albert, la plupart des anarchistes refusent ce fatalisme et persistent à réclamer l'abolition du marché et l'instauration d'une économie plus juste, plus humaine et plus conforme à leurs valeurs et idéaux. Michael Albert explique : « *La propagande a réussi à convaincre tous et chacun des bienfaits du marché. Mais je pense pour ma part que le marché est une des pires créations de l'humanité. Le marché est quelque chose dont la structure et la dynamique garantissent la création d'une longue série de maux, qui vont de l'aliénation à des comportements et des attitudes antisociaux en passant par une répartition injuste des richesses. Je suis donc un abolitionniste des marchés, même si je sais bien qu'ils ne disparaîtront pas demain, mais je le suis de la même manière que je suis un abolitionniste du racisme.* »

Que mettre à la place et que proposent les anarchistes? Ici, les positions divergent considérablement.

Certains rappellent qu'il est inutile, incertain voire nuisible de construire, dans un aujourd'hui aliéné et opprimé, des modèles destinés à préciser comment fonctionneront nos institutions dans un avenir libéré. C'est notamment le point de vue que défend Noam Chomsky et on peut avancer bien des arguments en sa faveur.

D'autres choisissent plutôt d'intervenir sur un plan plus polémique et littéraire en rappelant les exigences de liberté que porte l'anarchisme et la nécessité de les incarner *hic et nunc* sur le terrain de l'économie. Le célèbre texte de

Bob Black sur l'abolition du travail (*Travailler moi? Jamais! L'abolition du travail*) est de cet ordre. Il s'ouvre ainsi : *« Personne ne devrait jamais travailler. Le travail est la cause de la plupart des maux de ce monde. Cela ne signifie pas qu'on cessera de faire des choses : simplement qu'on inventera une nouvelle manière de vivre, fondée sur le jeu »*. Ce texte, qui n'est pas sans rappeler *Le Droit à la Paresse* (1883) de Paul Lafargue (*« le travail, cette étrange folie qui possède les classes ouvrières... »*) se conclut par : *« Personne ne devrait travailler, jamais. Travailleurs du monde entier... reposez-vous. »*

D'autres encore se contentent de dresser le bilan des expériences historiques se rapprochant de l'idéal proposé et d'encourager leur reprise ou leur poursuite. On citera alors notamment les *Kibboutzim*, diverses expériences menées durant la Guerre d'Espagne ou encore, de nos jours et un peu partout dans le monde, ces Systèmes d'échanges locaux (SEL) par lesquels les gens créent leur propre monnaie. La célèbre et fort importante Coopérative de Mondragon, toujours active au Pays basque, constitue un autre exemple que les anarchistes aiment à citer comme un lieu de production efficace et efficient se rapprochant de leur idéal, bien qu'il ait été élaboré dans des conditions peu favorables et dans le contexte *a priori* hostile d'une économie de marché.

Mais l'idéal anarchiste a été réaffirmé avec beaucoup de force dans le travail récent et stimulant accompli par Robin Hahnel et Michael Albert, qui ont proposé un modèle fort élaboré d'économie autogestionnaire. Le but de cet exercice était de démontrer que cet idéal était non seulement souhaitable, mais aussi intellectuellement crédible et pratiquement viable. S'inspirant de l'idée de conseils ouvriers développée notamment par Pannekoek et De Santillan, Hahnel et Albert proposent un modèle d'économie sans profit, sans organisation hiérarchique du travail et, bien sûr, sans marché. Une présentation élaborée de ce modèle déborde largement le cadre de ce livre, mais il est tout de même souhaitable d'en donner une idée sommaire.

Les auteurs partent de valeurs fondamentales - l'efficience, la solidarité, l'équité (de la rémunération, mais aussi des circonstances), la gestion participative, la diversité (des résultats, des moyens, des circonstances) - pour les incorporer dans des institutions économiques assurant la production, l'allocation et la consommation. Concrètement, ce modèle passe entre autres par la constitution d'assemblées de travailleurs et de consommateurs à différents niveaux, par la rémunération selon l'effort et le sacrifice, par la constitution d'ensembles équilibrés de tâches (l'idée est ici capitale : chacun accomplit un de ces ensembles et chacun d'eux est comparable à tous les autres) et par la planification participative. Albert explique : *« Nous proposons une planification décentralisée. Les gens décident de ce qu'ils veulent produire et consommer et prennent leurs décisions en sachant ce qu'il entre de matières premières et de travail dans chaque produit. La structure du travail est également modifiée en profondeur : personne n'a un seul emploi mais chacun a un ensemble équilibré de tâches, également désirables. En d'autres termes, personne ne souhaite une consommation qui suppose des tâches dégueulasses puisque cela rendrait sa propre tâche moins intéressante. Enfin, les prix indiquent le coût social de la production dans un tel modèle, qui ne présuppose ni une parfaite concurrence, ni que les gens soient des saints. »*

Ce modèle, qui a fait la preuve de sa viabilité sur le plan théorique, a été effectivement implanté, notamment dans une maison d'édition (*South End Press*) et une coopérative canadienne (*Arbeiter Ring*). Ces expériences méritent sans aucun doute qu'on les observe de près.

Cependant, et d'un autre côté, il n'est pas sans intérêt de rappeler que Chomsky a toujours refusé de se prononcer sur ce travail de Hahnel et Albert. *« [...] en savons-nous suffisamment pour répondre avec force détails à des questions concernant le fonctionnement éventuel d'une société? Il me semble que les réponses à des questions de cet ordre doivent être découvertes par l'expérience. Prenez par exemple l'économie de marché. [...] Je comprends fort bien ce qu'on peut lui reprocher ; mais cela n'est pas suf-*

fisant pour démontrer qu'un système qui élimine le marché soit préférable, et cela est un point de logique élémentaire. Nous n'avons simplement pas de réponse à des questions de cet ordre ».

B - Anarcho-Syndicalisme

À partir de 1890, mais surtout dans les pays latins, les anarchistes pénètrent massivement dans les syndicats. Il vont y développer une forme libertaire de syndicalisme, baptisée anarcho-syndicalisme : ce mouvement deviendra extrêmement large et puissant et jouera pendant un temps un rôle de tout premier plan dans l'histoire des mouvements ouvriers et des luttes populaires. Cette action aura même des répercussions et des retombées sur l'ensemble du mouvement syndical dans plusieurs pays. Si l'on met à part le cas particulier de l'Espagne, où la CNT demeurera très active jusqu'à la Guerre civile, cette aventure anarcho-syndicaliste constituera une force majeure jusqu'à la Première Guerre mondiale, moment où s'amorce son déclin.

Je m'en tiendrai ici essentiellement à l'expérience française, très représentative de cette importante aventure anarcho-syndicaliste, des motifs qui ont conduit à la tenter mais aussi de ses forces, faiblesses et retombées.

À partir du XIXe siècle, le mouvement ouvrier se réorganise en Europe. Il s'agit de repenser l'organisation ouvrière et de resituer ses pratiques face aux nouvelles conditions sociales, politiques et économiques qui se mettent en place avec la Révolution industrielle. Bien des conceptions du syndicalisme, souvent concurrentes, sont alors mises en avant. On le veut ici réformiste, là révolutionnaire ; on le souhaite tantôt lié à un parti politique, tantôt apolitique, internationaliste ou non et ainsi de suite. Les communistes souhaitent par exemple, mais on ne s'en étonnera pas, un syndicalisme qui soit « *une courroie de transmission des directives du Parti* » (Lénine).

Les anarchistes sont longtemps restés à l'écart de ces débats. À leurs yeux, le caractère ponctuel et réformiste des luttes syndicales les rendait d'emblée incompatibles avec les visées anarchistes. Après tout, réclamer une augmentation de salaire, n'est-ce pas implicitement reconnaître à quelqu'un le droit d'embaucher et donc perpétuer ce qu'on appelait alors couramment l'esclavage salarial? De même, demander telle ou telle réforme, n'est-ce pas implicitement reconnaître à une autorité le droit de la consentir? Si l'action syndicale ne vise que l'obtention de meilleures conditions de travail et de meilleurs salaires, les anarchistes se refusaient à entrer dans cette logique. De plus, un syndicalisme lié à un parti politique, fût-il socialiste, leur semblait devoir nécessairement dégénérer vers le parlementarisme et la politique bourgeoise et réformiste.

La décision d'investir les syndicats est pourtant prise au début des années 1890 et elle trouva un de ses plus brillants défenseurs en Fernand Pelloutier (1867-1901), mort d'épuisement à 32 ans. Il demeure, avec Rudolf Rocker, un des plus importants théoriciens et activistes de l'anarcho-syndicalisme.

Pelloutier est convaincu de la nécessité pour les anarchistes de militer dans les syndicats. Deux faits vont le rendre possible. Le premier est l'échec de la propagande par le fait, que les ouvriers comme les militants anarchistes réprouvent ; le second est que la division des forces socialistes en tendances variées finit par rendre de plus en plus crédible une conception apolitique du syndicalisme, qui serait en outre opposé à toute collaboration avec l'État et qui est précisément ce que les anarchistes vont avancer.

Pelloutier œuvre d'abord au sein des Bourses du travail, créées en 1893. Elles se veulent une sorte d'équivalent, pour les ouvriers, des Chambres de commerce patronales et elles réunissent tous les travailleurs d'un territoire donné. Les Bourses doivent devenir un lieu d'apprentissage de l'action directe et de l'auto-émancipation; elles se proposent de

« monopoliser tout service relatif à l'amélioration du sort de la classe ouvrière ». Parmi ces services, outre tous ceux directement liés à l'emploi, notons une revue, *l'Ouvrier des Deux Mondes* ainsi que les universités populaires. Pelloutier est en effet convaincu de l'importance de l'éducation et il dira que le syndicalisme doit *« instruire pour révolter »* et donner à l'ouvrier *« la science de son malheur »*.

En 1895 est fondée la Confédération générale du travail (CGT) lors d'un congrès à Limoges où sont présentes dix-huit Bourses du travail. Peu à peu une conception révolutionnaire du syndicalisme s'impose, reposant sur cette double structure de syndicats réunissant les ouvriers d'un même secteur à l'échelle nationale et de Bourses réunissant les ouvriers d'une même ville. Le Congrès d'Amiens adopte une célèbre Charte (1906), qui expose les principes, les buts et les moyens de ce syndicalisme d'action directe niant la nécessité et l'opportunité d'intermédiaires entre patronat et ouvriers. Ces associations libres de producteurs libres visent à accomplir la révolution sociale à l'écart des partis politiques. S'ils cherchent bien sûr à améliorer les conditions de leurs membres, ce travail ne constitue qu'un aspect de leur œuvre puisque les syndicats proposent comme but ultime *« la disparition du salariat et du patronat »* et considèrent que *« l'émancipation intégrale des travailleurs ne peut se réaliser que par l'expropriation capitaliste »*. Ces groupements de lutte et de résistance sont enfin décrits comme destinés à devenir, après une telle expropriation, des *« groupements de production et de répartition, base de la réorganisation sociale »*. Les syndiqués seront à cette époque volontiers « antivotards » et « antimilitaristes ».

Les moyens préconisés sont le sabotage (travail mal fait, bris de machines etc.) ; le boycott et le label, qui seront des pratiques abondamment reprises ; la grève, dont l'extension mène à la grève générale, instrument même de la révolution.

Pelloutier a pu se réclamer de Bakounine, de Proudhon et de Kropotkine pour prôner l'anarcho-syndicalisme ; mais d'autres anarchistes demeurèrent sinon hostiles du moins réservés à l'égard de cette aventure. À Amsterdam, en 1907, lors du célèbre débat opposant Malatesta au jeune Pierre Monatte, le premier déclare typiquement : *« Nous devons nous garder de toute action unilatérale. Le syndicalisme, si excellent soit-il pour stimuler la classe ouvrière, ne pourra jamais être la méthode unique de l'anarchisme »*.

Si l'objectif ultime de cet anarcho-syndicalisme et plus largement du syndicalisme révolutionnaire n'a pas été atteint, il n'en demeure pas moins que le bilan de l'anarchisme sur ce plan est largement positif. Ses conceptions et ses pratiques ont largement irrigué le monde syndical et on peut penser que l'actuel mouvement syndical, horriblement réformiste, gagnerait à se retremper à ses sources libertaires.

C - Écologie

L'écologie est une discipline scientifique qui appartient à la biologie et qui étudie, selon la définition courante donnée par Ernest Haeckel dès 1866, *« les relations entre les êtres vivants et le monde qui les entoure »*. Mais les résultats et les conclusions de cette science nous concernent au plus près, plus encore au moment où l'on annonce quotidiennement d'inquiétantes observations concernant l'état de santé de notre planète : pollution, réchauffement planétaire, destruction des écosystèmes, déforestations et ainsi de suite. L'écologie renvoie conséquemment à des valeurs et à un projet social et politique. À qui serait tenté de l'oublier, il faut rappeler les sévères et très justifiées critiques qui ont été récemment adressées à certaines conceptions dites d'écologie profonde et aux pratiques qu'elles inspirent, justement dénoncées pour leur antihumanisme et leur irrationalisme.

Les préoccupations écologistes sont, somme toute, récentes et il faut bien dire qu'elles n'avaient guère retenu l'attention des premiers anarchistes. On se souviendra cependant que certains d'entre eux furent des géographes et on ne s'étonnera donc pas de trouver sous la plume de ceux-là des accents et une sensibilité qui préfigurent bien certaines préoccupations écologistes qui sont à présent devenues courantes. Par exemple chez Élisée Reclus qui écrit dans sa somme *La Terre* : « *Notre liberté, dans nos rapports avec la Terre, consiste à en reconnaître les lois pour y conformer notre existence. Quelle que soit la relative facilité d'allures que nous ont conquise notre intelligence et notre volonté propres, nous n'en restons pas moins des produits de la planète attachés à sa surface comme d'imperceptibles animalcules, nous sommes emportés par tous ses mouvements et nous dépendons de ses lois.* »

Mais il est vrai qu'une conception anarchiste de l'écologie, qui serait à la fois rationaliste et humaniste, restait largement à constituer. Le développement de cette écologie, qui refuse à la fois les excès de l'écologie profonde comme la timidité des écologies réformistes, a été le fait de Murray Bookchin (1921).

Selon lui, la racine du problème se trouve dans cette psychologie de la domination qui apparaît avec le patriarcat, l'esclavagisme et les premières cités primitives du néolithique. Son analyse s'amorce donc avec ce constat historique que « *la domination de l'humain par l'humain a précédé l'idée de dominer la nature* ». Bref, « *les hiérarchies, les classes, les formes de propriété et les institutions étatistes qui ont émergé avec la domination sociale ont été transposées dans les relations de l'humanité avec la nature. Celle-ci tendit dès lors à n'être plus considérée que comme une simple ressource, un matériau brut à exploiter à volonté* ».

Bookchin peut ainsi renvoyer dos à dos le timide réformisme de ceux qu'il appelle les « *environnementalistes* » qui masquent commodément les cause sociales et institutionnelles de nos problèmes écologiques et l'antihumanisme des tenants d'une « *écologie profonde* » qui conduit à l'irrationalité. « *Les deux points de vue ont comme conséquence de faire paraître l'humanité, que ce soit à titre de fléau ou de seigneur, comme l'en-*

nemie de la nature », écrit Bookchin qui développe une approche connue sous le nom de municipalisme libertaire. Celle-ci a le grand mérite de ne pas nous contraindre à accepter le terrible marché qui nous impose de choisir entre « *les lobbies, les compromis et le marchandage* » d'une part et « *une mentalité biocentrique* » de l'autre. À ceux qui seraient tentés par le premier choix, il rappelle fortement que parler de « *limites à la croissance* » au sein d'une économie de marché capitaliste est aussi insignifiant que de parler de limites aux armements dans une société de guerriers. Les bons sentiments, aujourd'hui mis de l'avant par des environnementalistes bien intentionnés sont aussi naïfs que les bons sentiments exprimés par les multinationales sont manipulateurs. On ne saurait pas plus convaincre le capitalisme de limiter sa croissance qu'on ne saurait convaincre un être humain de cesser de respirer. Toutes les tentatives pour établir un « *capitalisme vert* » ou « *écologique* » sont alors destinées à échouer en vertu de la nature même du système capitaliste qui est par définition un système de croissance infinie.

Aux deuxièmes, il rappelle l'héritage rationaliste des Lumières en s'insurgeant contre toutes les formes d'une « pensée » qui ne cesse de célébrer l'irrationalité, l'instinct et la religiosité en cultivant sa haine de l'humanité et son amour de la nature, y compris ces virus pathogènes dont des écologistes profonds, rappelle Bookchin, ont défendu les « *droits inaliénables* ».

Le municipalisme libertaire de Bookchin cherche à définir ce qu'il appelle « une société écologique ». Il l'imagine structurée autour d'une « *communauté de communes confédérées et où chaque communauté chercherait à s'adapter à l'écosystème, aux conditions biologiques de la région dans laquelle elle se situerait, développerait toutes ces techniques d'une façon harmonieuse. Elle utiliserait des ressources locales, dont beaucoup ont été abandonnées à cause de la production de masse* ».

Un des indéniables mérites du travail de Bookchin tient à ce qu'il propose des solutions concrètes et crédibles attaquant les problèmes qu'il traite au niveau de profondeur où il les a diagnostiqués. C'est dire aussi si son projet écologique est inséparable d'un projet politique. Mais il a l'immense mérite de permettre de démontrer que *« la seule réponse à une technologie devenue folle »* n'est pas plus *« le retour à la chasse et à la cueillette »* que la réponse à *« la logique de la science moderne et de l'ingénierie »* dans nos institutions sociales et politiques actuelles ne réside dans la célébration de l'irrationalisme.

D - Éducation

Dans la foulée de la Révolution française, nos actuels systèmes d'éducation nationaux et étatiques vont progressivement se mettre en place un peu partout dans le monde, à partir du XIXe siècle. Cet événement sera perçu, non sans raison, comme un projet et une victoire de la gauche. Et il est vrai que, de nos jours encore, toute attaque à leur endroit vient typiquement de la droite.

Pourtant, et ce dès le tout début de cette aventure, les anarchistes, tout en reconnaissant les bénéfices qu'on peut en espérer, se montrent fort critiques. On l'aura deviné : ce n'est aucunement au nom d'une forme ou l'autre d'élitisme ou parce qu'ils se porteraient à la défense de l'ancien ordre aristocratique que les anarchistes émettent de graves et sérieuses réserves. Il était cependant fatal que ces antiautoritaristes reconnaissent d'emblée - et ils furent, à gauche, à peu près les seuls à le faire avec cette inlassable insistance - les dangers et les menaces à la liberté que porte l'idée même d'une éducation nationale, projet qu'ils perçoivent aussitôt comme une appropriation par l'État des cerveaux des enfants. Qu'attendre d'une telle éducation sinon qu'elle forme des lobotomisés? Qu'en attendre sinon l'immolation de la liberté sur l'autel du conformisme, de la créativité sur celui de la pensée commune, de la fraternité sur celui du nationalisme étroit et ethnocentriste? Qu'en attendre, enfin, sinon la fabrication d'individus dociles, obéissant aux maîtres et notamment aux patrons, et qui seront entièrement disposés - la Première Guerre mondiale en administrera la décisive et sanglante preuve - à aller mourir au front sitôt l'ordre donné?

Cette méfiance sera d'abord exprimée par William Godwin et par Max Stirner, qui consacrent tous deux - bien qu'à partir de perspectives distinctes - de substantiels développements au thème de l'éducation nationale. Ils rappellent avec force ce péril d'embrigadement à l'ordre social, politique et économique que cette entreprise comprend et la mise à mort de la pensée critique et de l'autonomie individuelle auxquels elle risque de conduire. Tous les anarchistes devaient par la suite largement leur emboîter le pas et partager leur méfiance, sinon acquiescer à leurs analyses. En fait, la plupart des anarchistes, aujourd'hui encore, souscriraient sans doute au mot de Bertrand Russell : *« Les êtres humains naissent ignorants, pas idiots ; c'est l'éducation qui les rend idiots »*. Ou à celui de Noam Chomsky quand il assure que *« l'éducation est un système permettant d'imposer l'ignorance »*.

Les anarchistes ne méconnaissent pourtant aucunement l'importance décisive de l'éducation : à l'instar de bien d'autres mouvements révolutionnaires antérieurs, l'anarchisme affirme même que l'éducation est une clé essentielle de la rénovation sociale qu'il appelle de ses vœux. Mieux, et en cela il se distingue de la plupart des autres mouvements révolutionnaires, l'anarchisme ne se contente pas de produire une théorie de l'éducation mais, très tôt, il cherche à réaliser concrètement les modèles éducationnels qu'avance la théorie. Depuis Godwin, l'histoire du mouvement anarchiste est ainsi celle de réalisations pédagogiques concrètes allant de la création d'écoles et d'institutions d'enseignement à l'élaboration de matériel pédagogique et à la publication de journaux et de revues pour enfants. *La Ruche*, de Sébastien Faure ; *Cempuis*, de Paul Robin ; *Iasnaa Poliana* de

Léon Tolstoï ; *Beacon Hill* de Bertrand Russell ; *Summerhill* d'Alexander S. Neill sont parmi les plus connues de ces écoles.

Toutes ces réalisations sont portées par une réflexion pédagogique soutenue dont on peut esquisser à grands traits les principales idées cristallisées entre 1880 et 1914.

Pour les anarchistes, comme l'ont montré les travaux de Michael P. Smith, l'éducation doit impérativement posséder cinq caractéristiques essentielles et complémentaires : elle doit être intégrale ; polytechnique ; rationnelle ; émancipatrice et enfin, permanente.

D'abord, et ce concept est hérité de Charles Fourier (1772-1837), si l'éducation doit être intégrale, c'est qu'elle doit s'intéresser à toutes les facettes d'un être humain. Il faut se rappeler que la scission entre éducation manuelle et éducation intellectuelle est alors (et est restée, pour l'essentiel) très marquée et que c'est d'abord et avant tout ce clivage que refusent les anarchistes. Leurs écoles chercheront donc à faire alterner, de manière complémentaire et congruente, enseignement manuel et enseignement intellectuel, atelier et salle de classe, leçon de mots et leçon de choses.

L'éducation doit encore être polytechnique. Il s'agit en fait de préparer le futur travailleur à affronter efficacement les périls du marché du travail et, en particulier, ceux que font peser sur lui la division du travail : pour les anarchistes, il ne saurait donc être question de se préparer à un seul métier. D'où le caractère polytechnique de l'éducation qu'ils préconisent, garant de liberté et d'autonomie.

L'éducation doit être rationnelle. C'est ici que la composante scientifique et rationaliste de l'anarchisme est la plus évidente. L'éducation que prônent les anarchistes sera bien sûr séculière et humaniste, aussi indépendante de l'Église qu'elle le sera de l'État ; mais elle placera en outre la science au cœur de son projet pédagogique. En cette époque où la technoscience ravageuse et le scientisme idéologique ne se sont pas encore manifestés, les anarchistes se réclament en éducation d'une science qui libère des superstitions, qui constitue un exercice intellectuel capital et formateur, gage de progrès humain et matériel. Leur défense et leur pratique de l'éducation sexuelle, libérant des préjugés, permettant le contrôle des naissances, assurant une vie sexuelle harmonieuse et libre est exemplaire de ce qu'ils espéraient d'un tel enseignement appuyé sur la science et la raison.

Au total, une telle éducation sera également émancipatrice : elle forgera en chacun les conditions du libre exercice de la raison et préparera à une vie sociale où l'exercice de la liberté de chacun se conjuguera au respect de la liberté de tous les autres. L'éducation doit ainsi contribuer à sa manière et par ses moyens propres à préparer l'avènement d'un monde libéré des contraintes et des servitudes de celui dans lequel cette éducation est aujourd'hui donnée.

Dans le contexte de cette réflexion, les anarchistes ont essayé diverses formules scolaires et pédagogiques. Ils ont également parfois réaffirmé que l'institution scolaire était destinée à disparaître au profit d'une éducation permanente et collective. Les bourses du travail, création des anarcho-syndicalistes donnèrent corps et vie à cette idée.

Par-delà diverses innovations nombreuses mais devenues aujourd'hui pour la plupart courantes dont ils furent les initiateurs ou les promoteurs (mixité, refus de l'usage de la force physique, participation des élèves à la vie démocratique de l'institution etc.), on doit encore aux anarchistes, et ce n'est pas un hasard, d'avoir lucidement envisagé la difficile et récurrente question de l'autorité en éducation. Comme tout pédagogue le sait, la question de savoir ce qui constitue une autorité légitime se pose avec une urgence et une acuité toute particulières sur le terrain de l'éducation. Que peut-on imposer? De quel droit? Comment et avec quelles visées? Le projet d'éduquer de jeunes et fragiles cerveaux soulève de telles questions, auxquelles l'anarchisme ne propose aucune réponse simple et générale. Mais il était nécessaire, antiautoritarisme et passion de la liberté obligent, qu'il s'y montre particulièrement sensible et qu'il invite à s'efforcer d'y faire lucidement face. Citons Bakounine, très clair ici encore : « *Il faudra fonder toute l'éducation des enfants et leur instruction sur le développement scientifique de la raison, non sur celui de la foi ; sur le développement de la dignité et de l'interdépendance personnelle, non sur celui de la piété et de l'obéissance ; sur le culte de la vérité et de la justice, et avant tout sur le respect humain qui doit remplacer, en tout et partout, le culte divin. Le principe de l'autorité, dans l'éducation des enfants, constitue le point de départ naturel : il est légitime, lorsqu'il est appliqué aux enfants en bas âge, alors que leur intelligence ne s'est pas encore ouvertement développée. Mais le développement de toute chose, et par conséquent de l'éducation, impliquant la négation successive du point de départ, ce principe doit s'amoindrir à mesure que s'avancent l'éducation et l'instruction, pour faire place à la liberté ascendante. Toute éducation rationnelle n'est au fond que l'immolation progressive de l'autorité au profit de la liberté, le but final de l'éducation devant être de former des hommes libres et pleins de respect et d'amour pour la liberté d'autrui.* »

Dans tout examen des idées et pratiques anarchistes en éducation, une place à part doit être faite à Francesco Ferrer y Guardia (1859-1909), qui fait figure de martyr dans l'histoire de l'anarchisme.

D'origine catalane, Ferrer doit très tôt à ses idées et son militantisme anarchistes un exil à Paris. Il survit alors en donnant des leçons d'espagnol. Cet exil prend toutefois fin en 1901 et Ferrer rentre en Espagne. Un legs d'une élève parisienne lui permet d'ouvrir à Barcelone l'École moderne dont il rêvait, inspirée entre autres d'expériences anarchistes similaires qui se déroulent en France à la même époque, et de mettre sur pied une maison d'édition consacrée aux idées anarchistes en éducation. En 1907, Ferrer est emprisonné à la suite d'un attentat contre Alphonse III. Il est toutefois bientôt relâché, faute de preuves. Mais à l'été 1909, alors que de violentes émeutes éclatent à Barcelone pour protester contre l'envoi de troupes au Maroc, Ferrer est de nouveau arrêté, le 31 août. Cette fois, un procès est rapidement bâclé et un vaste mouvement international de protestation ne peut empêcher qu'il soit exécuté, le 31 octobre 1909. Le procès de Ferrer sera révisé deux ans plus tard et sa condamnation déclarée « erronée » en 1912. Ses idées (l'éducation rationnelle) et ses pratiques éducatives (dans le mouvement de l'École moderne) ont joué un rôle prépondérant dans l'histoire de l'éducation contemporaine, préfigurant bien des thèmes et des pratiques que le mouvement de l'École nouvelle, notamment, réactivera. *« Nous voulons des êtres humains capables d'évoluer sans cesse,* écrivait-il en présentant le but de cette éducation moderne, *capables de renouveler sans fin et leur environnement et eux-mêmes ; des êtres humains dont l'indépendance intellectuelle sera la plus grande force et toujours disposés à consentir à ce qui est préférable, heureux du triomphe des idées nouvelles et justes* [...]. *La société redoute de tels êtres ; nous ne devons pas espérer qu'elle consentira à l'avènement d'une éducation capable de les former. »*

Ces idées, largement ancrées dans les idéaux de rationalisme et d'émancipation du siècle des Lumières, ont pour une part importante été assimilées par un grand nombre des théories et des pratiques éducatives du XXe siècle. Le radicalisme qui les inspirait et son ancrage dans un projet de transformation sociale antiétatique ont par contre été largement oubliés. Il est pourtant un thème central de la pensée anarchiste sur l'éducation qui, hier encore, était très largement tenu pour allant de soi mais dont on peut craindre aujourd'hui que s'annonce sa redoutable éclipse. Pour les anarchistes, en effet, il était crucial de situer le projet d'éduquer dans la perspective large de la production d'individus libres, égaux et souverains et donc d'affirmer avec force l'irréductibilité d'un tel projet à toute forme d'adaptation fonctionnelle des individus au monde environnant - et pire encore, au seul marché du travail. Cette idée était hier encore très largement tenue pour claire et évidente. Chomsky rappelle par exemple comment John Dewey, qui est sans doute, aux États-Unis, le plus important penseur de l'éducation de ce siècle, Dewey - ce démocrate qui n'a rien d'un révolutionnaire - posait comme allant de soi que *« les perspectives vocationnelles et professionnelles »* livraient *« pieds et poings liés l'université et l'éducation »* à ce qu'il appelait les *« capitaines de l'industrie »* ; Dewey refusait donc avec force une telle conception de l'éducation, qui ne lui assignerait plus d'autre fonction que de former des *« fantassins dociles »*, ne disposant que d'une formation *« étroite »*, *« pratique »*, directement liée à l'emploi et faisant en sorte que les individus deviennent tout disposés à considérer que *« l'efficacité de l'entreprise rend inappropriée et hors de propos toute considération relative à la démocratie sur les lieux de travail »*. C'est d'ailleurs contre cette conception *« vocationnelle »* de l'éducation, contre cette éducation dominée par *« l'entreprise pour l'accroissement de son profit et renforcée par la presse, ses agents et tant d'autres moyens de publicité et de propagande »* que Dewey construisit son idéal de démocratie dans l'éducation, en rappelant cette autre évidence qu'en certains milieux on trouverait aujourd'hui utopique et selon laquelle *« la vocation principale de tous les êtres humains et de tout temps est la croissance morale et intellectuelle »*, l'éducation devant *in fine* s'efforcer de produire *« non pas des biens, mais des êtres humains librement associés les uns aux autres sur une base égalitaire »*.

On peut craindre que l'on soit en passe, par l'actuelle relégation de l'éducation aux entreprises et dans le contexte de sa redoutable commercialisation qui s'annonce et se manifeste aujourd'hui partout, d'oublier cette vérité première que l'éducation n'a pas pour première fonction d'adapter les individus au monde du travail et à l'ordre économique. Et si l'actuel carcan idéologique confère un caractère sulfureux aux idées pourtant banales de Dewey, cela en dit long sur le monde dans lequel nous vivons, sur ce monde dans lequel, pour ne m'en tenir qu'à cet exemple, la soumisson de l'université publique aux intérêts des tyrannies privées est tenue sinon pour allant de soi, du moins pour n'exiger pas plus de justification qu'elle ne suscite d'indignation.

De nos jours, la pensée anarchiste explore encore de nouveaux territoires. En particulier, et après que l'idée en ait été avancée notamment par Ivan Illich et John Holt, celui-ci surtout connu dans le monde anglo-saxon, les anarchistes observent avec beaucoup d'intérêt ou participent en certains cas à ces expériences de déscolarisation (*unschooling*) dans la plupart des pays occidentaux. Selon ce point de vue, partagé aujourd'hui par des centaines de milliers d'adeptes - et qui sont certes bien loin d'être tous libertaires - il serait souhaitable que les enfants quittent l'école et commencent à apprendre librement par eux-mêmes, et avec d'autres, par le biais des innombrables moyens permettant aujourd'hui d'apprendre et d'acquérir une véritable éducation. Action directe et autogestion se donnent une fois de plus la main dans une pratique qui refuse tout à la fois l'embrigadement étatique et sa cohorte d'experts prétendus et de bureaucrates patentés, pour miser sur la liberté et le bonheur d'apprendre.

Les analyses et les interventions des anarchistes sur le terrain de l'éducation n'ont pas uniquement porté sur les institutions scolaires destinées aux enfants, loin s'en faut. Beaucoup plus largement, elles ont concerné et concernent toujours l'enseignement supérieur et l'université - cette institution que les anarchistes décrivent volontiers comme étant vouée à interdire que soient soulevées certaines questions, à assurer la domination des maîtres et la reproduction de cette classe d'intellectuels et de coordonnateurs qui sont servilement sous leurs ordres.

Plus généralement encore, la réflexion des anarchistes a porté sur le sort réservé, dans nos sociétés, à la vie de l'esprit. Une fois de plus, la plupart des anarchistes conviendraient à ce propos que la prédiction de Bakounine qui prophétisait l'avènement d'une dictature de savants et d'experts s'est vérifiée. « *La pire de toutes* » précisait-il : « *Être les esclaves de pédants, quel destin pour l'humanité! Donnez à ces savants la pleine liberté de disposer des vies des autres et ils soumettront la société aux mêmes expériences qu'ils font maintenant au profit de la science sur des lapins, des chats et des chiens* ». Chomsky écrit, rigoureusement dans la même perspective : « *Depuis plus de 200 ans, les puissants se livrent à des 'expérimentations' selon les principes les mieux établis de la science économique. Les résultats sont saisissants d'uniformité : gains pour les expérimentateurs ; tragédies pour les animaux de laboratoire* ».

Mais de telles expériences ont, de nos jours, d'autres redoutables moyens que l'éducation pour parvenir à leurs fins, au nombre desquelles figurent en bonne place le projet d'écarter le public des débats qui le concernent et celui de vider le concept de démocratie de toute substance. Parmi ces moyens, chacun le pressent, les médias occupent désormais une place de choix.

E - MÉDIAS

Rappelons pour commencer quelques faits importants, quoique malheureusement peu connus, mais que Noam Chomsky a souvent rappelés.

L'entrée en guerre des États-Unis, lors de la Première Guerre mondiale, n'a été possible que par le retournement d'une opinion publique qui y était farouchement opposée. Pour y parvenir, le gouvernement américain a mis sur pied un organisme, la Commission Creel, qui se chargea avec succès du travail de façonnement des esprits nécessaire au changement de l'opinion. Les membres de la commission eurent recours à toute la panoplie des procédés de la propagande alors connus et en inventèrent quelques-uns de leur cru. C'est à ce travail et à ceux qui l'accomplirent qu'on peut relier la naissance de l'industrie des relations publiques, aujourd'hui florissante et d'une extraordinaire puissance. C'est dans ce contexte que se développa une certaine conception des médias, de leur rôle et de leurs fonctions dans la fabrication des consentements au sein des sociétés industrielles avancées. Ces précurseurs ne faisaient pas mystère de leurs visées propagandistes. Chomsky rappelle que dans l'article intitulé justement *Propaganda* d'une des toutes premières éditions de l'*Encyclopædia of Social Sciences*, parue dans les années 30, le plus prestigieux de ces chercheurs, Harold Laswell, précisait sa pensée sur les rapports des médias et de la démocratie. Il importe surtout, écrivait-il, de ne pas succomber à ce qu'il nomme le *« dogmatisme démocratique »*, c'est-à-dire à cette idée selon laquelle les gens ordinaires seraient en mesure de déterminer eux-mêmes leurs besoins, leurs intérêts et qu'ils seraient donc en mesure de choisir par eux-mêmes ce qui leur convient. Cette idée est complètement fausse, assure Laswell. La vérité est plutôt que d'autres, c'est-à-dire une élite à laquelle l'auteur a sans aucun doute la certitude d'appartenir, doivent décider pour eux. L'ennui, poursuit Laswell, c'est que nous sommes ici en démocratie et qu'il est impossible de contrôler la populace par la force. Heureusement, Laswell et ses semblables ont une solution toute prête à proposer : à défaut du recours à la force pour contrôler la populace, on peut parfaitement bien la contrôler par la propagande et la persuasion.

C'est dans cette perspective que, dans divers ouvrages et articles récemment parus, et notamment dans *Manufacturing Consent*, E. Herman et N. Chomsky ont proposé un modèle théorique de la propagande médiatique qu'ils ont ensuite mis à l'épreuve des faits.

Selon ce modèle, les médias sont pour l'essentiel surdéterminés par un certain nombre d'éléments structurels et institutionnels que les auteurs nomment des filtres. Ceux-ci conditionnent - certes non pas entièrement, mais du moins très largement - le type de représentation du réel qui est proposé dans les grands médias ainsi que les valeurs, les normes et les perceptions qui y sont promues. Selon cette analyse, les médias *« servent à mobiliser des appuis en faveur des intérêts particuliers qui dominent les activités de l'État et celles du secteur privé ; leurs choix, insistances et omissions peuvent être au mieux compris - et parfois même compris de manière exemplaire et avec une clarté saisissante - lorsqu'ils sont analysés en ces termes »*. On observe en outre une dichotomisation systématique et hautement politique de la couverture médiatique, fonction des intérêts des principaux pouvoirs.

Rappelons brièvement ce que sont ces cinq filtres du modèle propagandiste des média.

Le premier est celui que constituent la taille, l'appartenance (*ownership*) et l'orientation vers le profit des médias.

Le deuxième est celui de la dépendance des médias envers la publicité : les médias, rappelle-t-on ici, vendent moins des informations à un public que du public à des annonceurs. C'est ainsi que celui qui achète un quotidien ne s'en doute peut-être pas mais, pour une part significative, il est lui-même le produit dans ce qu'il considère n'être qu'une transaction dans laquelle il achète de l'information.

Le troisième filtre est constitué par la dépendance des médias à l'égard de certaines sources d'information : le gouvernement, les entreprises elles-mêmes - notamment via ces firmes de relations publiques dont l'importance est croissante - les groupes de pression, les agences de presse. Tout cela crée, par symbiose si l'on peut dire, une sorte d'affinité autant bureaucratique qu'idéologique entre les médias et ceux qui les alimentent.

Le quatrième filtre est celui des *flaks*, c'est-à-dire les critiques que les puissants adressent aux médiass et qui servent à les discipliner. Au total, on tend dès lors à reconnaître qu'il existe des sources fiables, communément admises, et on s'épargne du travail et d'éventuelles critiques en s'adressant quasi exclusivement à celles-là et en accréditant leur image d'expertise. Ce que disent ces sources et ces experts est de l'ordre des faits ; le reste est de l'ordre de l'opinion, du commentaire, subjectif et par définition de moindre valeur. Il va de soi que l'ensemble de ces commentaires est encore largement circonscrit par tout ce qui précède.

Le cinquième et dernier filtre est baptisé anticommunisme par Herman et Chomsky ; cette dénomination est à l'évidence marquée par la conjoncture américaine. Elle renvoie en fait, et plus largement, à l'hostilité des médias à l'endroit de toute perspective de gauche, socialiste, progressiste, etc.

On se trouve donc face à un modèle des médias qui, loin de faire intervenir quelque chose comme une conspiration, met en jeu une construction intellectuelle, un modèle, qui n'a aucunement à faire intervenir des motivations - fussent-elles secrètes - pour expliquer ce qui se passe. Et ce qui se passe, si ce modèle est juste, c'est une remarquable forme de contrôle des esprits laissant la pleine liberté à l'intérieur des cadres qu'elle fixe, une manière d'autocensure consentie qui constitue sans doute la forme la plus efficace de toutes les censures. Au total, les médias contribuent massivement à établir et défendre l'ordre du jour des maîtres. Ils servent leurs intérêts par le choix des sujets qu'ils traitent, par la manière dont ils pondèrent ces sujets, par la manière aussi dont ils les abordent - filtrage de l'information, accent mis ou non sur tel ou tel élément, ton employé et encore en assurant que le débat ait lieu à l'intérieur de prémices tenues pour acceptables.

Ce modèle a soulevé de vives critiques. On lui a reproché son caractère limitatif, en objectant qu'il ne rend aucunement compte de la très grande diversité de pratiques que recouvre la réalité médiatique ; des journalistes lui ont opposé avec virulence leur propre expérience de travail dont, ont-ils rappelé avec raison, toute trace de censure est absente ; des théoriciens des médiass (ainsi que d'autres) ont enfin fait valoir qu'un tel modèle risque de renvoyer, au total, à une perspective qui fait intervenir une plus ou moins occulte conspiration, ce qui ne serait guère crédible, il faut en convenir.

Mais ces critiques me semblent, pour l'essentiel, reposer sur un profond malentendu quant à ce que les auteurs se proposent de démontrer.

Il est exact que le modèle est loin de rendre compte, dans son ensemble, de la diversité des pratiques que recouvre le monde des médias. Mais il ne l'a jamais prétendu. De même, il ne prétend pas s'intéresser aux acteurs de manière prépondérante ou significative. Le sentiment d'entière liberté qu'évoque le journaliste est sans doute bien réel, mais il ne contredit pas la théorie avancée : celle-ci se place à un autre niveau d'analyse. Enfin, les auteurs ont avec raison rappelé qu'il ne s'agit ici nullement de conspiration : tout se passe au grand jour et s'explique par le seul jeu des institutions en cause et de leurs dynamiques.

Enfin, la question cruciale est quand même de savoir si les observations sont conformes aux prédictions. Il semble bien que ce soit le cas, et même de manière tout à fait exemplaire. Procédant à une analyse fine de la production médiatique sur divers sujets, les auteurs ont démontré que les observations s'avèrent remarquablement conformes aux prédictions. Citons de nouveau Chomsky : « *Quelle serait ici l'hypothèse nulle, cette conjecture qu'on avancerait volontiers et qui ne supposerait rien de plus que ce que l'on sait déjà. L'assomption évidente à poser est que la production médiatique (ce qui paraît, ce qui ne paraît pas, les perspectives qui sont adoptées) reflétera les intérêts des acheteurs et des vendeurs, des institutions, et des systèmes de pouvoir qui les chapeautent. On est même en droit de penser que le défaut d'observer cela constituerait une sorte de miracle. Fort bien. Vient ensuite le travail difficile. Vous cherchez à savoir si tout fonctionne bien ainsi que vous l'avez prédit. Qu'en est-il? Il y a à ce propos une importante documentation et chacun pourra en juger. L'hypothèse a été soumise aux mises à l'épreuve les plus sévères que l'on puisse imaginer : elle demeure remarquablement solide. À vrai dire, on ne trouvera guère, dans les sciences sociales, des observations autorisant de manière aussi solide une conclusion. Ce qui, au fond, ne constitue pas une grande surprise : il serait miraculeux qu'il n'en soit pas ainsi, compte tenu des forces qui sont à l'œuvre et de la manière dont elles agissent. »*

Tout ceci conduit, il me semble, à une question pratique d'une grande importance. Que faire, concrètement, si nous prenons au sérieux le modèle propagandiste des médias et que nous ayons aussi à cœur une conception de la démocratie qui soutiendrait qu'il s'agit d'un régime politique où des citoyens, informés au mieux, sont invités à prendre une part active, significative, critique et réflexive dans les affaires qui concernent le bien commun? Un simple coup d'œil à la situation des médias au Québec, au Canada, en France ou ailleurs, au nombre de plus en plus restreint de ses propriétaires et du type de représentation du monde qu'ils véhiculent convaincra que cette question n'est aucunement rhétorique et qu'elle doit être débattue, et ce de manière urgente.

Il y a plusieurs pistes de réponses possibles à cette question cruciale et leur examen déborderait par trop l'ambition de cet ouvrage. Disons simplement qu'on peut raisonnablement espérer qu'une éducation dispensant une solide culture générale, préparant à la pensée critique ou peut-être même faisant de l'éducation aux médias un élément de son cursus sécrétera des contrepoisons contre la propagande médiatique. On peut également penser que la fréquentation des médias dits alternatifs ne pourra pas nuire à la formation de l'esprit civique.

Enfin, et c'est peut-être le plus important, il importe de ne pas rester seuls, d'échanger avec d'autres, d'apprendre d'eux comme ils apprendront de nous. L'action militante est ici une précieuse école et sans doute le plus efficace de tous les contrepoisons contre l'isolement et l'abêtissement que sécrètent les outils des maîtres.

F - Éthique

Les anarchistes ont proposé et défendu un grand nombre de valeurs et ils ont expérimenté bien des avenues sur le plan de la moralité : c'est en vain que l'on chercherait à cerner une substantielle unité doctrinale sur ce plan.

Tout au long de l'histoire de l'anarchisme, des valeurs ont ainsi été vécues et promues et on peut parler en ce sens de morales anarchistes. Mais les anarchistes se sont aussi efforcés de systématiser ces valeurs en un ensemble cohérent et de légitimer ces choix : il y a en ce sens des éthiques anarchistes. Leur réflexion s'est finalement porté sur l'éthique elle-même, elle a cherché à en préciser la nature, à expliciter l'origine et les fondements des jugements éthiques. On peut alors parler de réflexion méta-éthique anarchiste.

Examinant l'ensemble de ces pratiques et de ces théories, on sera peut-être d'abord frappé par deux caractéristiques. La première, qui n'est pas loin de constituer une constante, est la valorisation de l'autonomie personnelle et, plus particulièrement, de ce jugement personnel autonome et libre permettant de résister aux pressions conformistes n'engendrant qu'une servilité qui interdit que l'on puisse se situer sur un plan moral. Bref, et on ne s'en étonnera pas, la mise en question critique de l'autorité est au cœur des morales et des éthiques anarchistes et qui se souvient de la célèbre expérience de Milgram ne pourra manquer de convenir de l'intérêt de ce point de départ.

La deuxième caractéristique est la grande austérité qu'on retrouve dans certaines des positions morales des libertaires. Aujourd'hui comme hier, on y trouve ainsi, non certes pas toujours mais remarquablement souvent, le refus de l'alcool et du tabac, le pacifisme et la non-violence, le végétarisme, le consumérisme vert, le primitivisme (c'est-à-dire le retour volontaire à des formes de vie simples et primitives) et ainsi de suite jusqu'à cette grande variété de formes que prend aujourd'hui ce que l'on appelle, dans les pays anglo-saxons, le *life-style activism* qui s'efforce de déceler ou de donner une portée morale puis politique aux gestes les plus quotidiens. C'est notamment en raison de cette austérité morale qu'on a pu dire de l'anarchisme, - à mon sens sans se tromper tout à fait - qu'il constituait en politique un retour à Kant et à son rigorisme.

On se souviendra du mot de Malatesta : « *L'anarchisme est né d'une révolte morale contre l'injustice sociale* ». D'emblée, cette attitude conduit à la promotion et à la défense de certaines valeurs chères aux anarchistes : liberté, égalité, équité, solidarité, tolérance, notamment. Les éthiques anarchistes se proposeront de systématiser tout cela et on peut commodément distinguer sur ce plan les positions des anarchistes individualistes d'une part et celles des anarchistes sociaux de l'autre.

Dans la foulée de l'individualisme anarchiste se déploie une éthique de la réalisation de soi et de l'authenticité qui s'inspirera le plus souvent de Stirner et de son égoïsme pour lutter contre les mutilations du Moi imposées par la loi, la société, l'État, la religion, les préjugés ou les superstitions. On a le plus souvent caricaturé les positions de ces individualistes. Il est vrai qu'elles avaient, hier encore, un aspect sulfureux, notamment par les positions, aujourd'hui banales, défendues par les individualistes sur le plan de la morale sexuelle. Mais ce faisant, on négligeait de noter que cette « jouissance de soi » avait comme indispensable complément une exigence de rigueur et d'authenticité ainsi qu'une volonté d'échapper à l'esclavage du vice autant qu'à celui de la vertu. Bref, on ne saurait en aucun cas assimiler les morales anarchistes individualistes à une caution donnée à tout et à n'importe quoi. L'ouvrier que décrit Arvon pourrait être tout à fait un anarchiste individualiste type : *« Fréquentant les cercles d'études avec assiduité et autodidacte fervent, il ne veut devoir son affranchissement qu'à ses propres efforts. S'il lui arrive de rendre la Société et l'État responsables de son humiliation, il n'oublie jamais que la première condition de son relèvement est son propre travail de perfectionnement ».*

Une morale et une éthique fondées sur le Moi tournent cependant vite court et c'est chez les anarchistes sociaux que les contributions libertaires me semblent les plus importantes. Leur trait marquant est de tenter de naturaliser l'éthique voire, en certains cas, de chercher à faire de la morale une science : la liberté serait alors le fait que ne soit pas entravée la conformité à cette « loi naturelle ». Cette naturalisation prend des voies variées. Tolstoï la cherche dans une interprétation toute particulière de la fraternité chrétienne ; Proudhon dans l'idée de justice : *« Sentir, affirmer la dignité humaine, d'abord dans tout ce qui nous est propre, puis dans la personne du prochain, et cela, sans retour d'égoïsme comme sans considération aucune de divinité ou de communauté : voilà le droit. Être prêt, en toutes circonstances, à prendre et au besoin contre soi-même, la défense de cette dignité : voilà la justice ».*

Je me contenterai ici de rappeler quelques aspects de la réflexion exemplaire de Kropotkine.

Dans un premier temps, Kropotkine s'inspire d'Adam Smith. On ne connaît plus guère ce dernier, aujourd'hui, que comme auteur de *La Richesse des nations*, cet ouvrage dont l'idéologie dominante propage le plus souvent une lecture mutilante : Smith serait le chantre d'une extension tous azimuts du marché et de sa main invisible. Rien n'est plus faux et quiconque se donne la peine de le lire découvrira que Smith était d'abord et avant tout un moraliste et que ses travaux d'économie n'ont guère de sens que rapportés à son éthique. Celle-ci place dans le sentiment de sympathie l'origine du sentiment moral et cela constitue, pour

Kropotkine, une percée intellectuelle majeure. « *Vous voyez qu'un homme bat un enfant. Vous savez que l'enfant battu souffre. Votre imagination vous fait ressentir vous-même le mal qu'on lui inflige ou bien, ses pleurs, sa petite face souffrante vous le disent. Si vous n'êtes pas un lâche, vous arrachez celui-ci à la brute. Cet exemple, à lui seul, explique presque tous les sentiments moraux* ».

Mais il pense aussi que Smith n'a pas su naturaliser complètement sa position, faute de connaissances en biologie. Or, à la fin du siècle dernier, divers auteurs s'inspirent de Darwin pour affirmer un darwinisme social qui fait de la compétition et de la lutte de chacun contre tous, les bases prétendues des comportements humains et le fondement par lequel se justifierait un ordre social et politique qui prend la jungle pour modèle et ne laisse survivre que les plus « forts » et les plus « aptes ». Kropotkine s'insurge et rédige *L'entraide. Un facteur d'évolution.* Il y montre que la loi naturelle, au sein des espèces est une loi d'entraide et de coopération et suggère que les positions morales et politiques anarchistes sont conformes à cet ordre naturel. L'ouvrage est capital et son intérêt ne peut manquer de nous apparaître au moment où, de toutes parts, notre époque redécouvre le concept trop longtemps honni de nature humaine.

Mais peut-on accorder à Kropotkine que puisque l'ordre naturel comprend de manière prépondérante cette pratique de l'entraide, nos institutions doivent se régler sur elle? Doit-on nécessairement vouloir que l'ordre social et politique soit conforme à cet ordre présumé naturel? Penser que du fait biologique de l'entraide et de la coopération il faille nécessairement conclure à la nécessité d'une société sans État (qui permettrait le plein épanouissement de ce caractère) constitue en fait un paralogisme, connu depuis David Hume, qui le met à jour le premier, et auquel succombe communément toute approche naturaliste de l'éthique. On ne peut passer des jugements descriptifs à des jugements prescriptifs, enseignait Hume et on ne peut donc aussi aisément conclure de ce qui est à ce qui doit être, comme le savent bien désormais tous ceux qui se sont intéressés à ces questions.

Il faut le reconnaître : les questions éthiques comptent parmi les plus difficiles qui soient et sont de celles sur lesquelles on ne sait que très peu de choses. Kropotkine, pas plus que les autres anarchistes, ne fournit de réponses convaincantes à ces questions. Ce qui ne retranche rien à mes yeux à la noblesse de l'idéal qu'ils nous lèguent, ni à l'intérêt réel et à l'actualité de leur questionnement, en particulier de celui qu'inaugure Kropotkine et que prolonge en quelque sorte Noam Chomsky. C'est ainsi que tout récemment, dans un entretien avec Tor Wennerberg qui lui demandait de préciser sa pensée sur cette idée d'une détermination génétique de notre aptitude au langage et de sa possible extension à la morale, Chomsky répondait : « *Je ne voudrais pas laisser entendre que nous comprenons ce qui se produit, cependant on ne peut douter du phénomène. Car le fait est que nous effectuons constamment des jugements moraux dans des situations nouvelles et, dans une proportion substantielle de ces cas, nous le faisons d'une manière convergente - des différences aléatoires et notables n'apparaissent pas entre nous. Les enfants font rapidement de tels jugements et ceux-ci convergent également et de la même manière. Bien entendu, il y a dans tout cela des effets culturels, sociaux et historiques : mais pour que ceux-ci puissent opérer, ils doivent opérer sur quelque chose. Si vous examinez cet ensemble de phénomènes convergents, cela laisse deux possibilités : la première est que l'on est en présence d'un miracle ; la seconde est qu'ils soient enracinés dans notre nature, de la même manière que le langage est enraciné dans notre nature ou le fait d'avoir des bras et des jambes. Et que cela prend des formes différentes selon les circonstances, comme les jambes et les bras dépendent de la nutrition et le langage du fait que je n'ai pas entendu du Suédois lorsque j'avais six mois.* »

G - Anarcha-féminisme

Les liens entre anarchisme et féminisme sont indissolublement noués dès 1792, alors que Mary Wollstonecraft fait paraître *A Vindication of the Rights of Woman*. Depuis, des générations d'anarchistes - à commencer par Louise Michel, Voltairine de Cleyre, Emma Goldman et Lucy Parsons - ont repris, approfondi et renouvelé l'analyse libertaire de la situation des femmes.

Par définition, l'anarchisme, opposé à toute forme illégitime d'autorité, se contredirait lui-même gravement s'il ne rejetait le sexisme (comme d'ailleurs le racisme, l'homophobie et toutes les formes de discrimination). Dès lors, tout anarchiste conséquent est en droit également féministe. Il s'en faut cependant de beaucoup que tous les anarchistes aient perçu cette conséquence nécessaire de leur point de vue et en aient tiré toutes les implications théoriques et pratiques. Le machisme de Proudhon est bien connu, mais il faut bien dire aussi que la plupart des anarchistes « classiques » maintinrent des vues finalement assez conservatrices sur la condition des femmes.

S'il est juste que les anarchistes sont aussi, en droit, féministes, il est en revanche faux que tout féminisme soit aussi anarchiste. C'est qu'il est tout à fait possible d'adopter une position féministe qui réclame l'égalité pour les femmes d'accéder au pouvoir ou que le pouvoir soit exclusivement détenu par les femmes. C'est ici que loge d'abord la spécificité du point de vue anarcha-féministe, distinct des autres variétés de féminisme : les anarcha-féministes n'attendent de véritable libération ni d'une plus grande et plus égalitaire participation des femmes au pouvoir, ni même de l'instauration d'une « matriarchie », mais bien de l'élimination du pouvoir illégitime en général et de l'État en particulier. Pour cette raison, l'anarcha-féminisme est également très critique de luttes qui seraient simplement réformistes et ne viseraient qu'à assurer que les femmes auront des « chances égales » dans un contexte qui demeurerait « archique ». C'est ainsi que Goldman adoptait la position suivante sur la question du vote des femmes : *« La femme ne peut conférer au suffrage ou à l'urne aucune qualité particulière et elle ne peut rien recevoir d'eux qui rehausserait ses propres qualités. Son développement, sa liberté, son indépendance doivent venir d'elle-même et exister par et à travers elle. D'abord en s'affirmant comme une personnalité et non comme objet sexuel ; ensuite en refusant à quiconque quelque droit que ce soit sur son corps ; en refusant de porter des enfants à moins qu'elle ne le désire ; enfin, en refusant d'être une servante de Dieu, de l'État, de la société, d'un mari, d'une famille etc. »*

L'histoire du mouvement des « femmes libres » (*Mujeres libres*) de la Guerre d'Espagne constitue un épisode notable de l'anarcha-féminisme. Martha A. Ackelsberg a attentivement étudié le combat de ces femmes de la CNT et de la FAI contre le sexisme de ces institutions et de ses membres masculins et en faveur d'une plus grande et plus significative participation des femmes au mouvement anarchiste espagnol. Dans le même esprit que Goldman, l'une d'elles, Frederica Montsery, écrivait que c'est à tort que le féminisme limiterait son ambition à *« vouloir accorder aux femmes d'une classe particulière l'opportunité de prendre plus activement part au système de privilèges de places »* puisque si ces institutions *« sont injustes quand des hommes les utilisent à leur profit, elles resteront injustes quand ce seront des femmes qui en profiteront »*.

On a souvent fait remarquer, à la suite de Peggy Kornegger, à quel point le féminisme, à partir des années soixante, présente bien des caractéristiques communes avec l'anarchisme, aussi bien dans ses analyses et revendications que dans ses modes d'action privilégiés. Plus profondément encore, les anarcha-féministes contribuèrent à la mise à jour du caractère éminemment politique, c'est-à-dire surdéterminé par des institutions, de bien des dimensions présumées strictement personnelles de la vie des femmes et elles participèrent activement à ces groupes non structurés de manière hiérarchique qui se mirent en place et pratiquèrent l'action directe. Elles y réaffirmèrent leur conviction que c'est dans les structures et les institutions sociales autoritaires que doit ultimement être recherchée et combattue la cause de l'oppression des femmes.

Au total, ces militantes et théoriciennes ont enrichi la position anarchiste en y intégrant une réflexion et des pratiques nouvelles sur des sujets aussi variés que le mariage, la famille nucléaire, la naissance et l'éducation des enfants, les tâches parentales, parmi de nombreux autres, ouvrant ainsi à l'analyse et à l'action sur toute une dimension de la vie sociale jusque-là déplorablement négligée par l'anarchisme. Peggy Kornegger écrit en ce sens : « *La théorie (anarcha-féministe) pose essentiellement la famille nucléaire comme le fondement des systèmes autoritaires. La leçon que l'enfant apprend, du père, au professeur, au patron et à dieu, est d'obéir à la grande voix anonyme de l'Autorité. Passer de son enfance à l'âge adulte c'est devenir un automate parfait, incapable de remettre quoi que ce soit en question et même de penser clairement* ».

Les anarcha-féministes ont finalement, et ce n'est pas leur moindre mérite, attiré l'attention sur la facilité avec laquelle il arrive que des pratiques contredisent la théorie et combien aisément des anarchistes sincères pouvaient succomber à l'autoritarisme et au sexisme.

H - ANARCHO-CAPITALISME?!?

Sous ce nom étrange, réunissant deux épithètes irréductiblement opposées, un courant d'idées est apparu depuis quelques décennies, notamment aux États-Unis. Il se propose d'étendre « *la liberté de l'anarchisme à l'économie* » et de « *déployer la liberté capitaliste dans l'ensemble de l'ordre social* », comme le dit Pierre Lemieux, un de ses meilleurs représentants en langue française. Au total, ce courant soutient donc, comme l'écrit encore Lemieux, qu'une *« société capitaliste sans État est économiquement efficace et moralement désirable. »*

Je dois dire d'emblée qu'à mes yeux ces idées n'auraient guère mérité plus qu'une note de bas de page dans le présent ouvrage, pour indiquer pourquoi on leur doit autant de considération qu'à celles d'esclave libre ou de mort vivant. Deux données factuelles cruciales interdisent pourtant d'en rester là.

La première est que les positions « anarcho-capitalistes » appartiennent à une famille d'idées dont les points de vue sont de plus en plus répandus et exercent un attrait croissant. Cette famille idéologique comprend les libertariens, des économistes inspirés par l'école autrichienne et aussi, mais cette fois presqu'exclusivement aux États-Unis, des disciples d'Ayn Rand, une romancière et essayiste d'origine russe. Il faut reconnaître qu'il existe, entre ces divers courants, des nuances parfois importantes, mais toutes réclament un retrait de l'État, en particulier de la vie économique. En ce sens, on peut soutenir que cette famille idéologique constitue une réelle et non négligeable composante de l'idéologie dominante et que certaines de ses idées jouent un rôle non négligeable dans la définition des politiques publiques.

La deuxième raison qui interdit de passer trop rapidement sur les conceptions anarcho-capitalistes est que les auteurs et théoriciens qui s'en réclament aiment à se présenter comme anarchistes et qu'on ne peut laisser passer pareille imposture intellectuelle.

Mais commençons d'abord par rappeler ce qu'avancent les anarcho-capitalistes.

L'anarcho-capitalisme se réclame de racines dans le libéralisme économique et dans le libéralisme politique. En économie, ils puisent surtout à l'interprétation donnée du marché par les économistes de l'École autrichienne. Selon Ludwig Von Mises et Friedrich Hayek, le marché, pur et non entravé par des interventions étatiques, est une *catallaxie*, un mode abstrait de gestion d'informations qui produit un ordre spontané optimal qu'aucune organisation ou planification ne saurait espérer atteindre. Dans sa forme abstraite, il présuppose la liberté reconnue à tous, des droits également reconnus à tous et réalise donc, selon ses zélateurs, la justice en même temps que la liberté. Mais à propos de ces dernières idées, il faut maintenant rappeler ce que doit l'anarcho-capitalisme au libéralisme politique. Les anarcho-capitalistes y empruntent en effet une position dite jusnaturaliste, par quoi on désigne une conception des droits développée à partir de John Locke. Pour aller rapidement à l'essentiel, les anarcho-capitalistes défendent l'idée que les individus ont un droit naturel (d'où l'expression jusnaturalisme) sur leur personne, les produits de leur travail ainsi que les ressources naturelles découvertes et, ou transformées par eux. Dans cette perspective, la considération d'autres droits est superflue, voire nuisible. Le droit à la vie, par exemple, est essentiellement celui de ne pas être tué, et aucunement celui de recevoir les ressources nécessaires au bien-être. Face à l'ensemble de ces autres droits, les anarcho-capitalistes (et les libertariens) tendent donc à s'opposer à ce qu'ils décrivent volontiers comme le paternalisme déresponsabilisant des institutions étatiques, lesquelles sont à leurs yeux coercitives et, de toute façon, inefficaces.

Sur ce double fondement s'érige la doctrine anarcho-capitaliste dont les principaux représentants sont à l'heure actuelle Murray Rothbard, Robert Nozick et David Friedman.

Les anarcho-capitalistes envisagent une société sans État et les foudres qu'ils réservent à ce dernier a bien des accents qu'un regard superficiel prendrait pour libertaires. Rothbard écrit par exemple : *« Les hommes de l'État se sont notamment arrogés un monopole violent sur les services de la police et de l'armée, sur la loi, sur les décisions des tribunaux, sur la monnaie et le pouvoir de battre monnaie, sur les terrains non utilisés (le domaine public), sur les rues et les routes, sur les rivières et les eaux territoriales, et sur les moyens de distribuer le courrier* ». Et encore : « *L'impôt est un vol, purement et simplement, même si ce vol est commis à un niveau colossal, auquel les criminels ordinaires n'oseraient prétendre. C'est la confiscation par la violence de la propriété de leurs sujets par les hommes d'État* ».

Dans une société sans État telle que l'imaginent les libertariens, des contrats librement conclus entre individus égaux devant la loi et rémunérés selon le marché assureront l'atteinte de l'idéal visé. Soulignons pour finir qu'on distingue des abolitionnistes de l'État (les anarcho-capitalistes) et des *minarchistes*, c'est-à-dire des partisans d'un État réduit à des fonctions régaliennes minimales (armée, justice, par exemple, ou du moins ce qui est minimalement nécessaire pour assurer la sécurité des personnes et des biens).

Les anarcho-capitalistes soutiennent que leur position est authentiquement anarchiste puisqu'elle est antiétatiste ; ils ajoutent enfin que ce qui les distingue des anarchistes classiques ou « de gauche » est surtout qu'ils pensent que l'égalitalitarisme est un leurre : ne concevant pas d'autre égalité possible que l'égalité de droit, les anarcho-capitalistes assurent donc que les inégalités de fait entre individus s'exprimeront immanquablement dans une société libre.

Mais le moment est venu de dire en quoi de telles idées ne peuvent en aucun cas être tenues pour anarchistes et pourquoi les anarchistes les combattent.

Si le langage courant est souvent imprécis et inexact - ce qui explique pourquoi les sciences doivent souvent créer leurs propres concepts, précis, univoques et souvent mathématisés - la langue utilisée pour parler politique est tout particulièrement imprécise et fourmille de concepts étranges voire contradictoires. George Orwell, créateur dans *1984* de cette *novlangue* qui permet de penser que « *l'esclavage, c'est la liberté* », a laissé à ce sujet de belles et profondes remarques, notant entre autres combien cette dégradation de la langue, accompagnant et facilitant celle de la pensée, était utile à la propagande.

C'est ainsi que les États-Unis ont un département de la Défense, lequel passe l'essentiel de son temps à attaquer, le plus souvent des pays pauvres et sans défense ; de la même façon, le régime et la doctrine hitlériens s'appelaient le national-socialisme et la dictature, en Russie, prit le nom d'Union soviétique, usurpant le beau mot de Soviet. On pourrait aisément multiplier les exemples. Les anarcho-capitalistes en ajoutent un de plus : avec eux, la défense de l'esclavage salarial, la défense des inégalités même les plus extrêmes, la défense de ce que des droits sont désormais consentis à ces tyrannies privées que sont les corporations - notamment transnationales - considérées par certains aspects avec plus d'égards que des êtres humains, le refus de prendre en compte les droits de l'homme et la recommandation de renoncer à la solidarité comme à l'entraide, tout cela se donne aujourd'hui pour de l'anarchisme dans le néologisme novlanguien créé par les anarcho-capitalistes.

Les anarcho-capitalistes commettent d'abord un paralogisme, c'est-à-dire une grossière erreur de raisonnement, qui consiste ici à prendre la partie pour le tout. Ayant correctement identifié l'antiétatisme comme une composante de l'anarchisme, ils en font tout l'anarchisme et concluent que puisque leur position est également antiétatique, elle est donc une position anarchiste.

L'antiétatisme anarchiste est dérivé d'une position plus fondamentale : le refus de toute autorité illégitime. Forts de ce point de départ, les anarchistes, avec une constance remarquable et qui ne souffre aucune exception, ont donc combattu le capitalisme et l'économie de marché, y compris les anarchistes individualistes que les anarcho-capitalistes citent volontiers comme de prétendus précurseurs. C'est qu'un antiautoritariste conséquent ne peut pas plus souscrire à la conception de la propriété que défend le capitalisme qu'il ne peut souhaiter une économie de marché : il ne peut qu'être révulsé par la place qu'y occupent l'usure ou le capital, par ces lieux de travail où prospère l'esclavage salarial et ainsi de suite. Les anarcho-capitalistes n'ont quant à eux aucune objection à soulever face à tout cela.

De la même manière, les inégalités qui en découlent ne leur posent guère de problème et ils proposent que la charité individuelle palliera, si elle le veut bien, à ses plus criants excès. Reconnaissant qu'ils divergent ici avec les anarchistes, les anarcho-capitalistes affirment que l'égalité est impossible et que nous sommes, par définition, tous différents. Les anarchistes en conviennent et applaudissent même à cette diversité, qui fait la richesse de la vie. Mais la défense anarchiste de l'égalité va au-delà de ce truisme : elle est une défense de l'équité, prenant en considération les circonstances dans lesquelles la liberté se vit, faute de quoi celle-ci, comme l'égalité, ne signifie pas grand-chose de substantiel. Refusant de prendre tout cela en compte, les anarcho-capitalistes cautionnent toutes les inégalités, y compris celles qui constituent, installent ou perpétuent les plus criantes injustices. C'est précisément ce qu'avait en tête Noam Chomsky quand, considérant l'ensemble des positions anarcho-capitalistes, il assura y voir *« une doctrine qui, si elle devait être implantée, conduirait à des formes de tyrannie et d'oppression n'ayant que peu d'équivalents dans l'histoire de l'humanité »*. Mais, ajoutait-il, *« il n'y a pas la moindre chance que ces idées puissent être implantées un jour car elles détruiraient rapidement toute société qui commettrait cette colossale erreur »*. Revenant sur l'idée de « contrats » chère aux anarcho-capitalistes, il concluait : *« L'idée d'un contrat libre entre un potentat et son sujet affamé est une farce sordide, qui vaut peut-être qu'on lui consacre un peu d'attention dans un séminaire qui explorerait les conséquences de ces idées (à mon sens absurdes), mais qui ne mérite rien de plus »*.

La conception de la liberté que promeut l'anarcho-capitalisme est une pièce maîtresse de son argumentaire.

Or celle-ci est également on ne peut plus éloignée des positions anarchistes. La liberté des anarcho-capitalistes est la liberté individuelle qui consiste dans le fait de n'être pas entravé : c'est la liberté dite négative, conçue d'une manière purement individuelle et garantie par un système de protection que certains veulent privé tandis que d'autres reconnaissent qu'un État sera nécessaire à son maintien. Or cette liberté, qui ignore tout des circonstances, est d'une confondante pauvreté. Le salarié contraint de se vendre y est présumé libre. La liberté des anarcho-capitalistes est celle du renard libre dans le poulailler libre, c'est celle de ces villes grillagées derrière lesquelles se réfugient les plus riches citoyens américains pour échapper au chaos qu'ils ont créé, c'est la liberté qui s'accroît avec l'esclavage d'autrui. Citons de nouveau Bakounine : *« Je ne suis vraiment libre que lorsque tous les êtres humains qui m'entourent, hommes et femmes, sont également libres, de sorte que plus nombreuses sont les personnes libres qui m'entourent et plus profonde et plus large est leur liberté, et plus étendue, plus profonde et plus large devient la mienne. »*

Le concept anarcho-capitaliste de liberté est à ce point pauvre qu'il a même conduit certains anarcho-capitalistes à défendre l'esclavage (en tant que liberté, au moins provisoire, d'aliéner totalement sa propre liberté), ce qui fait de leur doctrine un cas unique dans l'histoire des conceptions politiques modernes.

Par ailleurs, quand on se souvient du refus anarchiste de la conception capitaliste de la propriété, quand on a en tête la multitude d'alternatives à cette conception que les anarchistes ont cherchées et défendues, on ne peut que convenir que la conception des droits de propriété que la doctrine anarcho-capitaliste défend est pour eux irrecevable. Un examen exhaustif de cette question serait toutefois assez long et technique, mais le fait est que cette doctrine anarcho-capitaliste des droits et de la justice est déjà irrecevable pour le sens commun, comme le suggère Noam Chomsky dans l'exemple suivant. Supposons, dit-il, que par des moyens que cette théorie anarcho-capitaliste tient pour légitimes - de la chance et des contrats « librement consentis » sous la pression du besoin - une personne en vienne à contrôler un élément nécessaire à la vie. Les autres sont contraints soit de se vendre comme esclaves à cette personne, s'il veut bien d'eux, soit de périr. Cette société serait présumée juste!

Notons encore que les anarcho-capitalistes méconnaissent ou en tout cas ne tiennent guère compte du rôle crucial de l'État dans la génèse et le développement du capitalisme et dans son expansion. Et si l'État subventionnaire des entreprises à même les fonds publics est parfois dénoncé par eux, l'État garant des droits et privilèges consentis à ces tyrannies privées d'une inouïe puissance est commodément passé sous silence par ces supposés ennemis de l'État.

Que reste-t-il, au total, qui pourrait à la grande rigueur passer pour un élément authentiquement anarchiste? L'opposition à l'État? Mais il y a des anarchistes aujourd'hui qui arguent, non sans raison, que nous vivons un moment historique dans lequel il faut, provisoirement, se porter à la défense de l'État et que cela ne constitue pas une entorse intolérable à une position anarchiste. Les anarchistes sud-américains ont une jolie formule pour expliquer leur position à ce propos. Nous sommes en cage, assurent-ils, dans la cage de l'État ; mais, à l'extérieur de cette cage se trouve le lion des tyrannies privées ; nous nous contentons donc, pour le moment, d'étendre le plancher de la cage, nous gardant bien d'en briser les barreaux.

Conclusion

Au moment de conclure cet ouvrage qui a essentiellement porté sur les événements et les idées de l'histoire de l'anarchisme, je voudrais tourner le regard vers le présent et l'avenir et aborder certaines des questions qu'on ne peut manquer de se poser concernant la pertinence et l'actualité de ces idées ainsi que leurs implications pour nous, ici et maintenant.

Bon nombre d'observateurs conviennent généralement aujourd'hui d'un retour de l'anarchisme et il y a parmi eux, de très nombreux anarchistes, qui s'en réjouissent. Il me semble tout à fait fondé de remarquer que l'histoire, les pratiques et les théories de l'anarchisme suscitent, depuis une décennie au moins, un certain engouement, comme il me paraît légitime de noter l'inspiration libertaire qui anime, à des dégrés divers, des mouvements, des pratiques et des réflexions de toutes sortes, du mouvement punk à la révolte zapatiste, sans oublier certaines tendances du féminisme, de l'écologisme, des mouvements pour la défense des droits des animaux, du végétarisme et ainsi de suite. Mais j'avoue dans le même souffle avoir du mal à applaudir sans réserves à cette renaissance.

Ce qui tempère mon enthousiasme est d'abord que l'ordre économique, politique et social qui s'est installé à l'échelle de la planète depuis le début des années soixante-dix (le « néolibéralisme ») est à ce point oppressif pour une majorité d'êtres humains que des propositions comme celles avancées par les anarchistes, qui demeurent en outre soustraites aux sévères critiques qu'on peut à bon droit élever contre tant d'autres propositions et réalisations portées par la gauche, devraient être nettement plus connues et discutées. Or, on le sait, c'est loin d'être le cas. Plusieurs raisons peuvent sans doute être invoquées pour expliquer ce fait, mais je souhaite insister sur celles qui sont à mon sens largement imputables aux anarchistes eux-mêmes. Ce faisant, on peut espérer découvrir quelques pistes de réflexion et d'action susceptibles d'aider à inscrire plus profondément et plus significativement l'anarchisme et ses idéaux dans notre temps.

Pour aller directement à l'essentiel, les anarchistes tendent trop souvent, aujourd'hui, à se replier dans des directions qui constituent, à mes yeux, autant de choix fort contestables - pour ne pas dire déplorables. Ces replis entretiennent de manière significative la méconnaissance des positions anarchistes et contribuent à faire en sorte que ce qui en est connu ne soit ni très attirant ni très mobilisateur.

La première de ces directions de repli est constituée de ce que les Nord-Américains appellent le *life-style activism*. On désigne par là une grande variété de pratiques individuelles s'inscrivant dans la sphère de la vie privée mais qui sont soudainement promues au rang d'activités militantes de tout premier plan. Ce type de militantisme est aujourd'hui répandu, tout particulièrement chez certains anarchistes. C'est ainsi qu'un nombre considérable d'entre eux prônent et pratiquent le végétarisme, le consumérisme éthique, le primativisme et ainsi de suite. Ces pratiques s'accompagnent en outre, le plus souvent, de leur envers, qui est la condamnation de ceux qui n'y adhèrent pas ou qui se livrent à des pratiques éloignées ou différentes : quand le végétarisme, par exemple, est promu au rang de pratique hautement politique, il devient quasi inévitable que le fait de manger de la viande soit, *a contrario*, tenu pour une erreur politique. Ce type d'analyse est bien vite généralisé et il aboutit bientôt à la condamnation d'à peu près tout ce qui constitue le mode de vie de nos contemporains : consommer, regarder la télévision, s'intéresser aux sports professionnels et ainsi de suite. Toutes ces activités et bien d'autres sont déclarées aliénantes, dégradantes et le fait de ne pas y prendre part est tenu pour un geste hautement significatif.

On en est arrivé là pour des raisons diverses mais au nombre desquelles figure sans doute en bonne place l'épisode keynésien de l'histoire des économies de marché du bloc occidental, dont on se souviendra qu'il s'est ouvert par la passation, au sortir du dernier conflit mondial, des importants accords de Bretton Woods (1944). Durant trois décennies, les États jouèrent ainsi un rôle prépondérant dans l'économie, notamment en exerçant un contrôle serré sur les flux de capitaux et en mettant en place toute une série de mesures, inspirées de Keynes, et destinées à stimuler la demande. Il s'ensuivit un net accroissement de la productivité et de la croissance mais aussi la mise en place d'un État-providence dispensateur de mesures sociales de toutes sortes. Plusieurs anarchistes réagirent en occultant leur opposition de principe à l'État, à leurs yeux, devenue anachronique, pour prôner des actions dans la sphère privée et à petite échelle, menées en marge des grandes institutions.

C. Ward (1973) s'est notamment fait le promoteur de ce pragmatisme qui a fini par donner la main aux formes contemporaines de l'individualisme et à l'anarchisme individualiste d'hier pour s'incarner dans le *life-style-activism*. Cette voie est pour l'essentiel une impasse théorique et militante, la marque et l'aveu d'une impuissance. On se leurre le plus souvent en pensant que ces pratiques ont nécessairement une substantielle portée politique, comme on se leurre aussi en pensant qu'elles ont bien le sens et la portée qu'on leur attribue. Pire, il arrive que qui s'y livre tende à s'isoler dans une attitude condescendante, mélange de purisme et de mépris, tout à fait injustifiée et qui ne peut, avec raison, que rebuter la plupart de ceux qui y sont confrontés.

Une autre tendance regrettable consiste à exalter une face très sombre de l'anarchisme qui n'a pourtant été que très peu présente et vite répudiée dans l'histoire du mouvement et à s'y cantonner exclusivement. Ce repli se présente sous des formes et des degrés divers, mais c'est bien de lui qu'il s'agit dans ces tendances à l'irrationalisme auxquelles les anarchistes n'ont pas toujours su résister comme dans ces déplorables appels impressionnistes à la violence. Pareille attitude me semble plus dommageable encore quand elle conduit à adopter une posture intellectuelle fataliste et à répéter sans cesse que tout va mal et à ne dire que cela. Non seulement cela est-il faux, mais la part de vérité de ces énoncés est désormais connue de tout le monde et tout particulièrement de ceux et celles auxquels les anarchistes devraient s'adresser. On finit vite, sur cette voie, par adopter une sorte de dogmatisme théorique qui conduit à se contenter de répéter des slogans tirés des théories et pratiques d'hier ou à sombrer dans un prophétisme catastrophique d'autant plus rebutant qu'il est justement souvent non fondé ; on tend alors aussi à se réfugier dans une sorte de purisme qui conduit à refuser tout réformisme et toute lutte visant des objectifs immédiats, même si ceux-ci peuvent être consistants avec les visées plus larges et à plus long terme de l'anarchisme. Sur tous ces plans, ici encore, je pense que l'histoire de l'anarchisme nous montre des militants et des théoriciens capables de beaucoup plus de nuances et d'ouverture et démontre que la richesse et l'intérêt de l'anarchisme a tenu en grande partie à ces nuances et à cette ouverture. Il est grand temps d'en appeler de nouveau au principe de tolérance de cet anarchisme sans qualificatif que j'ai évoqué au début de cet ouvrage.

Car toutes ces carences me semblent pointer dans une direction où loge d'ailleurs le plus précieux des antidotes à ces poisons. Il me semble en effet que les anarchistes ont depuis trop longtemps renoncé à proposer des visions, à la fois crédibles et inspirantes, du mode d'organisation sociale, économique, culturelle et politique auquel ils aspirent. Or de telles visions sont aujourd'hui ce qui manque le plus à l'anarchisme pour qu'il s'incarne de nouveau dans les luttes et les débats de notre temps. Le travail en économie accomplit par Michael Albert et Robin Hahnel, ce modèle d'économie participative que j'ai brièvement évoqué, constitue à mes yeux un remarquable exemple de ce vers quoi il faut tendre. Il revient aux anarchistes de proposer de telles visions - valables pour la culture, le politique, la société - et à les diffuser, dans une perspective non dogmatique et dans un esprit de tolérance, d'espoir et d'invitation à la discussion. Les anarchistes le faisaient à une époque où l'on ne pouvait légitimement soutenir que ceux auxquels ils s'adressaient n'avaient rien d'autre à perdre que leurs chaînes. Ce n'est plus le cas et ce type de travail, mené dans le même esprit, mais cherchant des réponses aux questions et aux problèmes qui se posent aujourd'hui, n'en est que plus nécessaire. On peut en espérer de précieuses retombées. Elles aideront d'abord à répondre aux objections qu'inévitablement on soulève à l'endroit des positions anarchistes. Elles aideront encore à préciser et à articuler de manière plus cohérente les valeurs défendues par l'anarchisme. Elles permettront enfin, et c'est sans aucun doute là le plus important, de proposer à l'action militante des objectifs désirables proches ou lointains et dont on aura des raisons de penser qu'il est possible de les atteindre.

Personne ne peut dire le sort et la place que l'avenir réserve à la théorie anarchiste. Mais il me semble que ce sort et cette place dépendent au moins en partie du sérieux avec lequel les anarchistes accompliront le travail que je viens d'esquisser.

Pour ce qui est de l'objectif vers lequel convergent ces efforts comme des valeurs que défend l'anarchisme, ceux-ci restent bien connus. Noam Chomsky les évoquait récemment en disant ceci : « *La tâche d'une société industrielle moderne est de réaliser ce qui est désormais techniquement possible, à savoir une société qui soit réellement fondée sur la participation libre et volontaire de personnes qui produisent, créent et vivent librement leurs vies au sein d'institutions qu'elles contrôlent et dans lesquelles les structures hiérarchiques n'existent plus que de manière limitée - et peut-être même n'existent plus du tout* ».

Cet objectif peut-il être atteint? Le sera-t-il? Je n'en sais rien et je pense sincèrement qu'on ne peut répondre avec quelque assurance à de telles questions. Mais je demeure persuadé qu'il revient aux anarchistes de convaincre que cet objectif est toujours désirable et d'entretenir l'espoir qu'il est raisonnable de penser l'atteindre. L'anarchisme a été et doit, à mes yeux, demeurer une école tout à la fois d'espérance, de rationalité et d'humanisme.

Laissons le mot de la fin à Chomsky : « *Je veux croire que les êtres humains ont un instinct de liberté, qu'ils souhaitent véritablement avoir le contrôle de leurs affaires ; qu'ils ne veulent être ni bousculés ni opprimés, ni recevoir des ordres et ainsi de suite ; et qu'ils n'aspirent à rien tant que de s'engager dans des activités qui ont du sens comme dans du travail constructif qu'ils sont en mesure de contrôler ou à tout le moins de contrôler avec d'autres. Je ne connais aucune manière de prouver cela. Il s'agit essentiellement d'un espoir placé dans ce que nous sommes, un espoir au nom duquel on peut penser que si les structures sociales se transforment suffisamment, ces aspects de la nature humaine auraient la possibilité de se manifester* ».

Index des noms propres

Bibliographie et internetographie

La bibliographie consacrée à l'anarchisme est immense. Je ne donne ici que quelques ouvrages qui me semblent plus particulièrement importants et qui pourront servir de point de départ à des études plus approfondies. Vingt titres sont précédés d'un *. Ils constituent une suggestion de bibliothèque de base consacrée à l'anarchisme.

Ouvrages généraux

ANSART, P. (1970) *Naissance de l'anarchisme*, PUF, Paris.

ARVON, H. (1971) *L'anarchisme*, PUF, Coll. Que-Sais-Je?, Paris.

* BROUÉ , P. et TÉMIME, É. (1961) *La révolution et la Guerre d'Espagne*, De Minuit, Paris.

EHRLICH, H.J. (1996) *Reinventing Anarchy, Again*, AK Press, San Francisco.

* GUÉRIN, D. (1970) *Ni Dieu ni maître. Anthologie de l'anarchisme*, 4 volumes, Maspéro, Paris.

GUÉRIN, D., (1965) *L'anarchisme*, Gallimard, Coll. Idées, Paris.

* MAITRON, J. (1975) *Le mouvement anarchiste en France*, 2 volumes, Maspéro, Paris.

* MARSHALL, P. (1992) *Demanding the Impossible. A History of Anarchism*. Fontana Press, London

WARD, C. (1973), *Anarchy in Action*, Freedom Press, London

WOODCOCK, G. (1962) *Anarchism. A History of Libertarian Ideas and Movements*, Meridan, New York.

- (1987) *The Anarchist Reader*, Fontana, London

Quelques textes classiques sur...

...Godwin

MARSHALL, P. (1986) *The Anarchist Writings of William Godwin*, Freedom Press, London.

PHILIP, M. (ed.) (1993). *Political and Philosophical Writings of William Godwin*, 7 volumes, William Pickering, London.

...Stirner

ARVON, H. (1973) *Stirner*, Seghers, Coll. Philosophes de tous les temps, Paris.

* STIRNER, M. (1972) *L'Unique et sa propriété*, Stock, Paris.

... PROUDHON

ANSART, P. (1984) *Proudhon*, Le Livre de poche, Coll. Textes et débats, Paris.

* PROUDHON, P.J. (1967) *Œuvres choisies*, Gallimard, Coll. Idées, Paris.

... BAKOUNINE

ARVON, H. (1970) *Bakounine*, Seghers, Coll. Philosophes de tous les temps, Paris.

* BAKOUNINE, (1965) *La liberté*, J.J. Pauvert, Hollande.

... KROPOTKINE

KROPOTKINE, P. (1975) *La Conquête du pain*, Éditions du Monde liberraire, Paris.
- (1898) *Fields, Factories and Worshops*, London.
- (1990) *La Grande Révolution: 1789-1793*, Éditions du Monde libertaire, Paris.
- * (1989) *Mémoires d'un révolutionnaire*, Éditions Scala, Paris.
- (1978) *Paroles d'un révolté*, Flammarion, Coll. Champs, Paris.

WOODCOCK, G. et AVAKUMOVIC, I. (1990) *Pierre Kropotkine, prince anarchiste*, Écosociété, Montréal.

... CHOMSKY

BARSAMIAN, D. (1998) *Entretiens avec Chomsky*, Écosociété, Montréal
BARSKY, R.F. (1998) *Noam Chomsky. Une voix discordante.* Odile Jacob, Paris.
* CHOMSKY, N. (1987) *The Chomsky Reader*, James Peck (éd.), Serpent's Tail, London.
- (1995) *L'an 501. La conquête continue,* Écosociété, Montréal.
RAI, M. (1995) *Chomsky's Politics*, Verso, London.

AUTRES ÉCRITS NOTABLES

DEBORD, G. (1967) *La société du spectacle*, Gallimard, Paris.

MAKHNO, N., (1970) *La révolution russe en Ukraine*, P. Belfond, Paris

ORWELL, G. (1938) *Hommage à la Catalogne*, Lebivici, Paris.

SERGE, V. (1966) *Mémoires d'un révolutionnaire*, Seuil, Paris.

* VOLINE, (1947) *La révolution inconnue, 1917-1921*, Le Cercle du Nouveau livre d'histoire, Paris.

THÈMES PARTICULIERS

Économie

* ALBERT, M. et HAHNEL, R. (1991) *The Political Economy of Participatory Economics*, Princeton University Press, Princeton.

BAILLARGEON, N. « *Une propositions libertaire: l'économie participative* », *Agone*, No. 21, 1999, pp. 159-176

BLACK, M. *Travailler moi? Jamais! L'abolition du travail,* L'esprit frappeur, Paris, 1997.

BENELLO, G. « *The challenge of Mondragon* », dans EHRLICH, H.J. (1996) *Reinventing Anarchy, Again*, AK Press, San Francisco. Pages 221-235.

ROSANVALLON, P. (1976) *L'âge de l'autogestion*, Seuil, Paris.

Syndicalisme

JULLIARD, J. (1971) *Fernand Pelloutier et les origines du syndicalisme d'action directe*, Seuil, Coll. Points, Histoire, Paris.

MERCIER-VEGA, L. (1978) *Anarcho-syndicalisme et syndicalisme révolutionnaire*, R. Lefebvre, Paris.

PELLOUTIER, F., (1902) *Histoire des Bourses du travail, origine, institutions, avenir,* Schleider Frères, Paris

* ROCKER, R. (1938) *Anarcho-syndicalism*, Secker and Warburg, London.

SOREL, G. (1908) *Réflexions sur la violence*, Slatkine, Paris.

Écologie

* BOOKCHIN, M. (1976), *Pour une société écologique*, Bourgois, Paris.

BOOKCHIN, M. (1993) *Une société à refaire. Vers une écologie de la liberté.* Écosociété, Montréal.

Éducation

BREMAND, N. (1992) *Cempuis. Une expérience d'éducation libertaire à l'époque de Jules Ferry*, Éditions du Monde libertaire, Coll. Bibliothèque anarchiste, Paris.

HOLT, J. (1981) *Teach your Own*, Dell, New York.

LLEWELLYN, G. (1991) *The Teenage Liberation Handbook. How to quit School and get a Real Education*, Lowry House, Oregon.

* SMITH, M.P. (1983) *The Libertarians and Education*, G. Allen and Unwin, London.

VANEIGEM, R. (1995) *Avertissement aux écoliers et aux lycéens*, Mille et Une Nuits, Paris.

Médias

* HERMAN, E. S. et CHOMSKY, N. (1988) *Manufacturing Consent : The Political Economy of the Mass Media*, Pantheon, New York.

BAILLARGEON, N. « *Contre-poisons* », *Espaces de la parole*, Printemps, Hiver 1999, Vol. 1, pages 14-18.

Arts, littérature, esthétique

RESZLER, A. (1973) *L'esthétique anarchiste*, PUF, Paris.

WILDE, O. (1995) *L'âme de l'homme sous le socialisme*, Ed. Infrarouge, Paris

Science et épistémologie

KROPOTKIN, P. (1913) *La science moderne et l'anarchie,* P.-V. Stock, Paris

Féminisme

* GOLDMAN, E. (1917) *Anarchism and Other Essays*, Mother Earth Publishing Association, New York.

ACKELSBERG, M.A., (1991) *Free Women of Spain : Anarchism and the Struggle for the Emancipation of Women*, Indiana University Press, Bloomington

KORNEGGER, P. (1996) *« Anarchism: The Feminist connection »* dans EHRLICH, H.J.(1996) *Reinventing Anarchy, Again*, AK Press, San Francisco. Pages 156-168.

MARSH, M. (1981) *Anarchist Women : 1870-1920*, Temple University Press, Philadelphia.

Pacifisme et non-violence

TOLSTOI, L. (1998) *Confession. Suivi de : Quelle est ma foi? et de : Pensée sur Dieu : textes inconnus,* Pygmalion, Paris.

Éthique

* KROPOTKINE, P. (1902) *L'entraide : un facteur de l'évolution,* Hachette, Paris.

- *L'Éthique*, Stock, Paris

WOLFF, R.P. (1970) *In Defense of Anarchism*, Torcher Books, New York.

Le Québec anarchiste

ROUSSOPOULOS, D. *« Perspectives anarchistes sur le Québec »*, L'Arc, 91/92, Centre National des Lettres, Paris, 1984. Pages 78-84.

ROY, S., (Éd.) (1996) *La pensée en liberté*, Écosociété, Montréal.

L'anarcho-capitalisme

LEMIEUX, Pierre (1988) *L'anarcho-capitalisme*, PUF, Coll. Que-Sais-Je?, Paris.

Romans

ALBERTS, J. (1995) *L'anarchiste de Chicago*, Série Noire., Paris.

LEGUIN, U. (1974) *The Dispossessed*, Avon Books, New York.

MALRAUX, A. (1974) *L'Espoir*, Coll. Folio, Paris.

* RAGON, M. (1988) *La mémoire des vaincus*, Le Livre de Poche, Paris.

FILMS

* *Manufacturing consent. Noam Chomsky and the Media* I : *Thought Control in a Democratic Society* ; II: *Activating Dissent* (1992) ; réalisateurs : Mark Achbar et Peter Wintonick ; production : Necessary Illusions et Office National du Film (Canada).

Land and Freedom, A Story from the Spanish Revolution (1996), réalisateur : Ken Loach ; distribution : Polygram.

INTERNETOGRAPHIE

On trouvera sur la toile un grand nombre de sites et de groupes de discussions consacrés à l'anarchie. Le lecteur pourra commencer son enquête à partir des sites suivants, qui le conduiront vers mille autres lieux où souffle l'esprit libertaire.

http://www.spunk.org/ est peut-être le plus complet des sites anglophones consacrés à l'anarchisme. À mon sens, en tout cas, le meilleur point de départ pour découvrir l'anarchie sur la toile.

**http://www.geocities.com/CapitolHill/1931/* contient le monumental et incontournable FAQ consacré à l'anarchisme.

http://www.zmag.org est le site du mensuel *Z Magazine*, animé par Michael Albert. On y trouvera une multitude de liens vers de nombreux sites consacrés à l'anarchie et de nombreux forums de discussion - notamment ceux animés par Albert et Chomsky. En prime, c'est l'endroit idéal pour découvrir l'économie participative et en discuter avec un de ses créateurs.

http://www.geocities.com/CapitolHill/4351 Intéressante porte d'entrée francophone, avec de nombreux liens.

http://perso.club-internet.fr/ytak Passionnate éphéméride anarchiste

http://www.federation-anarchiste.org/journal/index.html Le journal *Le Monde Libertaire* qui paraît à chaque semaine.

http://useas.skynet.be/AL/ Le journal *Alternative Libertaire*

achevé d'imprimer
en novembre 1999

conception de la maquette et couverture
Martin Roux

Photo centrale de la page couverture : d'après Ed Van Der Elsken
Autres photos à partir du coin haut à gauche et dans le sens des aiguilles : Noam Chomsky,
Pierre-Joseph Proudhon, Lucy Parsons, Pierre Kropotkine, source : http://www.spunk.org/